Adaptive Leadership

어댑티브 리더십

4

내면의 현

나를 들여다보라

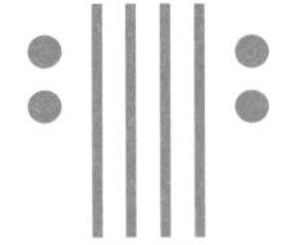

로널드 A.하이페츠 • 알렉산더 그래쇼 • 마티 린스키 지음

ginger T project
진저티프로젝트

일러두기

— "한눈에 보는 어댑티브 리더십"은 책의 이해를 돕기 위해 출판팀이 자료를 재가공했다.
— 외국어표기는 국립국어원의 외래어표기법과 용례에 따라 표기했으며 최초 1회 병기를 원칙으로 했다. 단 독자의 이해에 필요한 경우 재병기하였으며, '어댑티브 리더십'과 '어댑티브 챌린지'의 표기는 본연의 의미를 살리고자 원어 그대로 표기했다.
— 전집, 총서, 단행본, 잡지 등은 《 》로 표기했다.

추천의 글

십년 전 일이다. 나와 동료들은 '명랑에너지 발전소'라 명명하게 된 공간을 만들었다. 녹슨 컨테이너들이 있던 공유지의 덩굴을 조금씩 걷어내고 재구성해 마련한 곳이었다. 'D.I.O(Do It Ourselves)' 방식으로 일상의 문제를 해결하며 지속 가능한 삶의 감각을 키우고자 하는 사람들이 모였고, 이들이 작당모의를 할 수 있는 장소가 되길 꿈꿨다. 이 곳에서의 어느 날 아침, 동료가 프리다이빙 영상을 보여주었다. 수면 위 반짝이는 빛들이 점점 아득해지며 캄캄한 바다로 뚜벅뚜벅 들어가던 다이버의 모습은 꽤 오랫동안 잔상으로 남았다.

《내면의 현》을 읽으며 그 때의 바다, 사람들, 우리의 현장이 떠올랐다. 이 책은 응시하는 힘, 거리를 이해하고 적정한 거리를 만들어 내는 방법을 안내한다. 변화를 만들고 싶다는 에너지로 증폭되던 시간을 지나, 이제는 너무 많은 균열들에 어쩔 줄 몰라하는 자신을 마주할 때 읽어보라 권하고 싶다.

'충성심-내면의 현-대역폭'을 통해 다시 저벅저벅 그 바다로 갈 수 있도록 안내된 길을 따라가다 보면, 나의 조직 생활에서 무엇을, 누구를, 왜 사랑하고 있는지, 어떻게 사랑해야 하는지를 복기할 수 있다. 변화에 민감하게 반응하고 적응하는 몸을 만드는 일이 얼마나 통합적인 감각과 지난한 훈련을 통해야만 하는지를 생각해 본다. 무엇보다 이 여정은 상호작용에 대한 이해와 수용이 필요하다는 것을 알게 될 것이다. 또한 어댑티브 리더십은 점진적 향상을 마주하는 순간까지 견뎌내야 하는 갈등과 정체의 순간들에 대한 이해를 돕는다.

이제 '지위'로서의 리더십에 대한 탐구보다는 변화에 적응하며 도전하는 '행동'에 대한 다양한 탐구와 실험이 필요하다. 다양한 삶의 현장에서 함께 만들고자 하는 변화에 대해 이야기하고, 공동의 목표를 세우고, 실행하고 있는 이들(동료)에게 이 책을 추천하고 싶다. 각자의 리듬과 상황을 이해하고 균형감 있게 자기 역할을 만들어 왔던 이들이 있었기에 예측 불가능한 세계에서 오늘도 변화를 상상할 수 있지 않을까?

오늘도 우리는 미지의 바다로 잠수하는 다이버가 된다. 바닷

속 상태와 나의 한계를 파악하고 무사히 탐험을 마치고 나면, 수면 위 나를 기다리는 동료들에게 향한다. 각자의 역할에 최선을 다한 동료들의 모습을 바라보며 편안한 얼굴로 반짝이는 햇살 기둥을 맞이할 수 있길.

안연정 / 전 서울시 청년허브 센터장

목차

한눈에 보는 어댑티브 리더십

어댑티브 리더십의 여정을 위해 생각해 볼 4가지

1. 변화를 이끄는 여정을 혼자 시작하지 말라
2. 인생을 리더십 실험실처럼 살아라
3. 성급하게 행동하지 말라
4. 어려운 선택을 통해 새로운 즐거움을 발견하라

	진단하기	행동하기
조직 system	**방 안의 코끼리** 시스템을 진단하라 · 조직의 구조와 문화, 관행을 진단하라 · 기술적 문제와 어댑티브 챌린지를 구별하라 · 조직의 정치적 관계를 진단하라	**시스템의 온도** 시스템을 움직이라 · 문제를 다양하게 해석하라 · 변화를 이끌어낼 효과적인 실행안을 디자인하라 · 정치적 관계를 고려하여 행동하라 · 갈등을 조율하라
자신 self	**내면의 현** 나를 들여다보라 · 자신의 충성심을 인식하라 · 자신의 내면의 현이 어떤 자극에 반응하는지 이해하라 · 대역폭–역량과 인내심–을 확장하라 · 자신의 역할과 권한범위를 이해하라 · 목적을 분명히 하라	**나만의 실험실** 나를 실험하라 · 목적이 살아있도록 하라 · 자신의 실패를 허용하라 · 사람들과 함께하라 · 실험적 사고방식을 가져라 · 자신을 안아주는 환경을 만들어라

4

나를 들여다보라

Understand Your Defaults

레이는 이라크에 파견된 미군 육군 장교였다. 미국은 평화적이고 민주적이며 종교성이 없는 정부를 이라크에 세우기 위해 노력 중이었고, 레이의 부대는 이런 민주정권 수립을 방해하는 세력의 정보를 이라크 시민들로부터 수집하는 미션을 맡았다. 부대의 사령관이 된 레이는 자신의 부대원들이 이라크 시민들에게 난폭한 행동을 하면서 정보를 수집하고 있다는 것을 알아챘다. 이런 행동들 때문에 미군은 폭동을 반대하는 이라크 시민들에게 조차 신뢰를 잃어가고 있었다.
레이는 이라크 시민들에게 신뢰를 받고 우정을 쌓는 것이 군사적 · 정치적으로도 우선순위가 높다는 것을 알았다. 하지만 이라크 민간인에 대한 부하들의 가혹 행위를 묵인해온 것이 자신이 이루고자 하는 궁극적인 목표를 이루는 데 방해 요소가 된다는 것도 깨달았다. 그는 가혹 행위가 자행되는 현실이 매우 불편했지만, 자신이 파견되기 전부터 부대에 형성되어 있었던 규범에 선불리 맞설 수 없었다.

부대 사령관으로서 복무 기간을 마치고 한참의 시간이 흘러 레이는 이라크에서 내렸던 자신의 결정과 그가 다른 상황에서 취했던 의사결정의 유형을 함께 비교해보았다. 레이는 자신이 가혹 행위를 용인한 이유는 부대원들과 연대감을 느끼고 싶은 강렬한 욕구가 있었기 때문이라는 것을 발견했다. 그동안 해온 일을 되돌아보면서 성장 과정에서 형성된 어떤 욕구에 자신이 대응하는 일정한 행동 방식이 있다는 것도 깨달았다.

레이의 사례는 우리 모두가 겪고 있는 어려움을 잘 드러낸다. 즉, 우리 내면 안에서 복잡하게 충돌하는 충성심을 이해하고, 어떤 순간에 어떤 충성심이 더 강한 영향을 미치는지를 알아차리는 것이다. 레이는 이라크 민간인들의 마음을 얻어야 한다는 부대의 미션과 전략에 충성하고자 했다. 하지만 이에 반(反)하는 또 다른 충성심은 부대원들에 대한 것이었다. 그의 부대원들은 더 많은 정보를 효과적으로 얻고 또한 자신들이 습격당할지도 모르는 위험을 줄이기 위해서 민간인에 대한 가혹 행위를 지속했다. 결국 부대원들과의 연대감을 유지하고 싶은 그의 욕구는 주어진 미션에 대한 충성심을 덜 중요하게 여기게 했다.

레이처럼 인간은 완벽하지 않다. 우리가 속해 있는 조직이 그러하듯이 각각의 사람들도 상충하는 가치와 이해관계, 선호, 경향, 열망, 두려움을 내면에 가진 복잡한 개체다. 어댑티브 리더십으로 그룹이나 조직을 이끌 때마다 사람들은 내면의 다양한 충성심으로 인한 갈등을 경험할 수 있다.

자신의 디폴트를 이해하라

모든 사람은 각자의 디폴트(주변 사건들을 해석하고 그것에 반응하는 자신만의 독특한 습관)가 있다. 어떤 환경이나 자극에 새롭고 효율적인 방식으로 대응하기 위해서는 자신의 디폴트를 이해하는 것이 중요하다. 자신이라는 시스템 안에 있는 3가지 유형의 디폴트를 이해하게 되면 더 자유로워질 수 있다.

- **충성심**
  당신의 동료, 공동체, 과거에 중요했던 사람들에게 느끼는 의무감으로, 어댑티브 챌린지를 맞닥뜨렸을 때 갈등을 일으킬 수 있는 내면의 감정들이다.

- **내면의 현**
  도전과 기회에 적절히 대응하기 위해서는 당신이 어떤 심리적 요인에 따라 움직이는지를 살펴야 한다. 내적 동인은 당신 안에서 불안정한 반응을 유발하는 것을 포함하는데, 예를 들면 충족되지 않은 개인적 욕구, 다른 사람의 희망과 기대에 부응하려는 민감성, 적응적 변화에 수반되는 혼란과 갈등에 대한 인내력 등이다.

- **대역폭**

  변화를 이끌어갈 때 당신이 사용하는 레퍼토리, 즉 당신이 편하게 사용하는 역량을 말하며, 스스로 안전하다고 느끼면서 자신이 가진 자원을 사용하게 되는 최대치를 의미한다.

4.1

자신을 시스템으로 바라보라

See Yourself as a System

개인은 조직만큼이나 복잡한 시스템이다. 개인이라는 시스템을 이해하기 위해서 성격, 인생 경험, 지능, 감정 구조 등 많은 것들을 살펴야 한다. 개인의 행동과 선택은 하나의 시스템인 개인의 내면에서부터 우러나올 뿐 아니라 개인이 속한 조직 환경으로부터도 영향을 받는다는 것을 이해해야 한다. 자신이 조직에서 담당하고 있는 역할을 이해하는 것은 변화를 만들기 위해 자신이 가진 자원과 한계를 파악하는 과정이기도 하다.

자신이 속한 상황을 통찰하고 자신을 시스템으로서 바라보면, 조직이 직면하고 있는 어댑티브 챌린지에 자신이 적절하게 행동하고 있는지 평가할 수 있다. 어떻게 행동하는 것이 조직에 최선의 결과를 만들 수 있는지, 나의 어떤 개인적 성향이 실수를 유발하거나 다른 구성원들이 나를 멀리하게 하는지 알 수 있다.

경험으로부터 나온 직관만을 사용해도 충분히 적응적 변화adaptive change를 만들 수 있지 않을까? 어쩌면 당신은 직관에 근거해 행동하여 성공했던 경험이 여러 차례 있을 수도 있다. 그러나 직관은 때때로 혼란을 불러일으키기도 한다. 직관은 많은 경우에 도움이 되기도 하지만 특정 정보를 제대로 읽어내고, 다른 해석을 받아들이고, 기존의 경험과는 상반된 실행안을 만들어내는 것을 어렵게 하기도 한다. 이런 이유로 적응적 변화가 필요한 상황에서는 자신이라는 시스템을 이해하기 위해 정교하게 훈련된 방식이 필요하다.

발코니에서 자신을 시스템으로 바라볼 때 더 분명하게 인식할 수 있다. 이러한 과정은 당신에게 용기, 영감, 집중력을 가져다준다. 이와 같은 역량은 변화가 필요한 조직에서 특히 필수적인데, 일반적으로 방향성이 부족하고 무질서하며, 내부적으로 충성심이 충돌하는 경향이 있기 때문이다. 다음 사례는 충성심이 충돌하는 상황에서 자신을 시스템으로 이해하고 더 큰 시스템에서 자신의 역할을 이해하는 것이 어떻게 도움 되는지 보여준다.

가장 중요한 것에 집중하기

마티의 아들 맥스는 고등학교에서 농구 선수로 활동했다. 2학년 때 맥스는 농구팀의 식스맨(후보 선수 중 가장 역량이 뛰어난 선수)이었고, 후보 선수 중에 늘 첫 번째로 게임에 투입되곤 했다. 시즌 중반, 맥스의 실력이 향상돼 선발 선수로 발탁되었고 맥스의 부모님은 이 사실을 무척 자랑스러워했다. 그러나 그가 대신했던 선수의 경기 운영 능력이 나아지자 맥스는 다시 벤치의 식스맨이 되었다. 실망한 마티는 맥스에게 더는 선발로 뛰지 못하게 되어 아쉽지 않은지 물었고 맥스는 이에 흥미로운 대답을 했다. "저는 첫

번째 후보 선수가 되는 게 차라리 낫다고 생각해요. 상황을 판단하고 무엇이 필요한지 파악할 수 있거든요. 그리고 제가 어떻게 해야 이 경기에 진정한 도움이 될지 알고 경기에 들어갈 수 있어요" 맥스는 더 높은 목표를 추구했고, 자신이 가진 다양한 역량과 시스템 안에서 자신이 해야 할 역할을 통합적으로 생각했다. 그리고 아버지가 실망할 수 있다는 사실에는 크게 신경 쓰지 않았다.

다양한 정체성

자신을 시스템으로 이해한다는 것은 우리가 하나의 '자아'를 갖고 있다는 생각에 도전하는 것이다. 누군가가 "난 원래 이런 사람이니까. 네가 받아들이든 말든 상관없어"라고 말하는 것을 들어본 적이 있는가? 어쩌면 당신도 이따금 비슷한 말을 다른 사람들에게 해왔을 것이다. 사실 우리 안에는 여러 역할이 혼재된 다양한 정체성이 있고, 분명하지 않거나 일관적이지 않은 여러 가치와 신념, 존재 방식과 행동 방식이 존재한다. 어댑티브 리더십을 발휘한다는 것은 사회 시스템 안의 작은 단위인 개인이 자신이 속한 사회 시스템 안에서 적절하게 개입과 행동을 하는 것이다. 그러므로 내가 개입하려는 더 큰 단위의 시스템뿐만 아니라 복잡하고 다양하고 비일관적인 자신이라는 시스템도 이해해야 한다. 그런 다음 이 두 시스템이 어떻게 상호작용하는지 생각해야 한다. 이 같은 관계를 이해하면, 리더십 중에서 어떤 특징이 어느 시점에 가장 의미 있게 활용될지를 알 수 있다.

자신이 '여러 개의 자아를 가진 사람'이라는 점을 받아들이는 것은 어댑티브 리더십을 발휘할 때 매우 중요하다. 하지만 이러한 사실이 불편할 수도 있다. 자신을 포함해 친구나 가족, 동료와 같이 당신이 속해 있는 시스템은 당신이 누구인지, 어떤 가치를 지지하는지, 무엇을 제공할 수 있는지를 분명히 하라고 요구한다. 내가 단일한 '자아'를 가진 존재로서의 명확함과 자신감을 가질 때, 세상 속으로 힘차게 나아갈 수 있고 주변에서 당신에게 기대하는 것이 무엇인지도 알 수 있다고 주장한다. 자아를 정의하는 이런 방식은 효과적인 추진력과 에너지를 뿜어낼 수 있지만 다음과 같은 두 가지 문제가 생길 수도 있다.

첫째, '내 자아는 분명하고 명확하다'고 느끼는 감정은 우리 자신의 복합성을 가리고 디폴트 기제를 인식하기 어렵게 만든다. 둘째, 자아에 대한 편협하고 모호한 시각은 다른 사람이 우리를 그들이 원하는 방식대로(그들에게 필요한 방식보다는) 대하게 만들 수 있는 단서를 제공한다. 예를 들어 갈등을 싫어하는 사람으로 자신을 나타내면, 새로운 시도를 반대하는 조직의 경영자는 그 시도의 갈등적인 요소를 강조하여 의견을 꺾으려 할 수도 있다.

자신이 하나 이상의 정체성을 가지고 있다는 것을 이해할 때, 이전에는 볼 수 없었던 가능성을 발견할 수 있다. 아래 사례는 이러한 면을 잘 나타낸다.

절름발이를 넘어서

로널드는 목발을 짚고 다니는 여성과 일한 적이 있었다. 그는 평생 '절름발이cripple'라는 정체성을 가지고 있었고, 그와 그의 오빠는 그 사실을 매우 부끄럽게 생각하며 살아왔다. 그는 '장애인disabled'이라는 표현을 훨씬 선호했지만, '절름발이'라는 정체성은 그가 자신을 바라보거나 자신의 인생 전체를 바라보는 인식에 계속해서 부정적인 영향을 미쳤다. 하지만 오랜 시간 체계적으로 자신을 성찰하는 과정을 거치면서 그에 대한 정의를 확장할 수 있었다. '절름발이'라는 정체성과는 전혀 관련 없어 보이는 자질들, 예를 들어, '강인한 여성' '아름다운 여성' '공감하며 소통하는 관찰자' '놀랍도록 유능한 사람' 같은 자질들을 자신의 정체성 안에 포함할 수 있었다. 이렇게 자신에 대한 정의를 확장해가면서, 그의 오빠가 느끼는 수치심도 그의 문제가 아니라 오빠의 문제로 인식할 수 있게 되었다. 자신을 더 복합적이고 다양한 방식으로 바라보면서 그는 직업을 전환할 수 있었고, 자신이 가진 새로운 가능성을 상상하는 데도 자신감을 가지게 되었다.

'나는 누구인가'라는 인식은 상황에 따라 달라진다. 우리는 배우자, 자녀, 친구, 동료들과 있을 때 동일하게 행동하지 않는다. 심지어 당신이 이들 중 한 사람하고만 함께 있을 때를 생각해보아도 매번 똑같이 행동하지 않을 가능성이 높다. 부모로서 당신은 상황에 따라 애정 넘치는 엄마가 되기도 하고, 아이를 위해 공격적이면서도 방어적인 보호자가 되기도 하며, 엄격한 훈육자가 되기도 하는 등 여러 가지 모습이 있다.

글로벌 금융 회사의 한 관리자는 조직에서 다른 역할을 맡을 때마다 자신이 다른 사람이 된다는 생각 때문에 불안해했다. 그는 기술부서의 관리자로 조직 생활을 시작해서 자신보다 더 다양한 지식이 있는 직원들을 감독해야 하는 자리까지 올라가게 되었다. 게다가 직속 부하가 아닌 젊은 직원들의 멘토도 되어야 했고, 최고 경영자의 자문도 맡았으며, 경영진으로서 해야 할 역할 또한 수행해야 했다. 각각의 역할을 효과적으로 수행하기 위해 각각 다른 자아가 필요한 것 같은 상황이 당황스러웠다.

나와 내가 속한 시스템에 "저는 특정한 상황에는 이런 사람입니다" "바로 지금 저는 이런 사람입니다" "가장 중요하게 여기는 사람들이나 가치를 대할 때 저는 이런 사람입니다"라고 말하는 것보다 간단히 "저는 이런 사람입니다"라고 말하는 것이 훨씬 더 쉬울 것이다. 그러나 현재뿐만 아니라 미래에 어떤 모습으로 변화할 수 있는지에 대한 복합성을 이해하는 것은 조직을 효과적으로 변화하도록 이끌어가는 데 더욱 다양한 가능성을 열어줄 수 있다.

적응적 변화를 성공적으로 이끈 사람은 상황뿐 아니라 자신을 진단하는 태도를 가지고 있다. 즉, 그들은 계속해서 자신 내면에 무엇이 일어나는지, 시간이 지나면서 자신이 어떻게 변하는지, 시스템으로서 자신이 조직이라는 시스템과 어떻게 상호작용하는지를 이해하려고 노력한다. 그러나 이러한 태도를 유지하기는 쉽지 않다. 우리가 만났던 많은 사람들, 특히 고위직에 있는 사람들은 자신을 완벽하게 정의할 수 있거나 이미 완성된 존재로 인식하는 경향이 강했고, 끊임없이 진화하고 있는 조직이라는 시스템 속에서 자신도 계속해서 변화하고 있음을 이해하지 못하는 경우가 많았다. 다음은 바로 그러한 사례다.

'의사'인가, '경영자'인가?

내과 의사인 헬렌의 병원은 폭발적으로 성장했다. 그는 병원을 경영하겠다는 의도보다는 환자를 돌보고 싶다는 순수한 마음으로 병원을 시작했다. 급변하는 의료 환경에서 병원이 계속해서 살아남기 위해서는 그가 자신의 정체성을 경영자로 전환해야 했지만, 그는 자신을 의사로 정의하면서 오랜 시간을 보냈다. 자신을 의사라고만 생각하고 행동해도 사업을 성장시키고 함께 일하는 사람들에게도 영감을 줄 수 있다고 믿었다. 왜냐하면 '그게 바로 나'라고 믿었기 때문이다. 하지만 그의 병원은 거의 파산 직전까지 이르렀다. 결국 그는 지출 비용을 걱정하기 시작했고 어려운 결정을 통해 병원의 규모를 제대로 키울 수 있는 사람을 채용한 후에야 비로소 병원은 재정적으로 안정될 수 있었다. 이 모든 과정을 거치며, 그는 병원이 위기에 처할 때까지 집착했던 좁은 의미의 자아 정체성을 확장할 수 있었다.

그렇다면 우리는 어떻게 자신을 시스템으로 인식하고, 진단적 태도를 유지하며 살아갈 수 있을까? 일단 자신이 맡은 여러 가지 역할들을 잘 수행하기 위해서는 서로 다른 각각의 진정성을 가진 여러 자아가 있다는 것을 이해해야 한다. 그리고 어제의 자신과 오늘의 자신이 다르다는 것을 기억해야 한다. 나 자신과 내가 맡은 역할, 내가 속한 조직 모두는 도전과 과제들에 맞서 상호작용하며 진화하고 성장하고 있다.

이 책의 나머지 부분에서는 자신의 개인적 정체성을 여러 요소로 나누어 분석해보고, 그 과정에서 얻은 깨달음을 기반으로 성공적인 리더십을 발휘할 수 있도록 돕는 아이디어와 방법을 제시할 것이다.

발코니에서 바라보기

Q1 함께하는 사람과 상황에 따라서 자신의 행동, 감정, 의사 결정 방식이 어떻게 달라지는지 생각해보라. 이런 변화에 대해 어떻게 느끼는가? 스스로가 진정성이 없는 것처럼 느껴지는가? 정상적이라고 느껴지는가? 인위적이라고 생각되는가? 생산적이라고 생각되는가?

현장에서 적용하기

Q1 믿을 만한 동료나 멘토와 함께 '상황과 사람에 따라 사람들은 다르게 행동한다'는 개념을 어떻게 생각하는지 토론해보라. 상황이 달라지고 함께하는 사람들이 달라질 때 자신의 모습과 행동이 어떻게 달라지는지 다른 사람들에게도 질문해보라.

이런 적응력이 인간관계나 생산성에 도움이 되었는지 아니면 해가 되었는지 물어보라. 자아가 다면적multi-faceted이라는 개념에 어느 정도 수긍하는지 생각해보라.

4.2

자신의 충성심을 인식하라

Identify Your Loyalties

시스템으로서 자신을 더 잘 이해하기 위해서 충성심의 대상이 되는 세 가지 범주를 살펴보자.

- **동료** colleague

  현재 업무적 관계를 맺고 있는 사람. 상사, 동료, 부하직원, 같은 위원회 회원 등

- **공동체** community

  현재의 가족 구성원, 친구들, 또는 업무 외적으로 관계를 맺고 있는 사회적, 정치적 및 종교적 단체들

- **선대** ancestor

  자신의 성별, 종교, 인종, 민족적 · 지역적 토대를 형성해준 과거의 사람들 혹은 존경하는 할아버지, 큰 영향을 미친 선생님 등 당신의 세계관을 형성해준 사람들

충성심의 대상이 되는 그룹 안에 어떤 분파들이 있는지 확인하려면 동료부터 시작해 공동체, 그리고 선대 그룹을 하나하나 생각해보라. 때때로 각 그룹에 대한 당신의 충성심이 삶을 여러 방향으로 이끌고 갈 수 있다.

미국의 유대인 가정에서 태어난 알렉산더가 신도(神道)를 믿는 일본인 여성과의 결혼을 결심했을 때, 알렉산더 내면에 있는

공동체와 선대를 향한 두 가지 충성심은 서로 다른 두 방향으로 그를 압박했다. 알렉산더의 조부모는 그가 유대교 전통을 따르고 유대인 혈통을 계승해야 한다고 강력하게 목소리를 높였다. 한편 그의 가족과 친구들은 사랑과 행복을 따르라고 알렉산더를 격려하고 지지했다. 다행히 알렉산더의 할머니는 돌아가시기 직전 일본인 여성과의 결혼을 허락했고, 그는 공동체와 선대에 대한 충성심 때문에 평생 간직하며 살았을지 모를 긴장과 죄책감에서 벗어날 수 있었다. 그러나 그는 아직도 때때로 죄책감을 느낀다고 한다.

〈그림4-1〉은 당신의 충성심을 표현할 수 있는 한 가지 방식을 제시한다. 각 그룹은 크기가 같아 보이고, 중앙에 있는 개인을 각각의 방향으로 잡아당기는 것처럼 보인다.

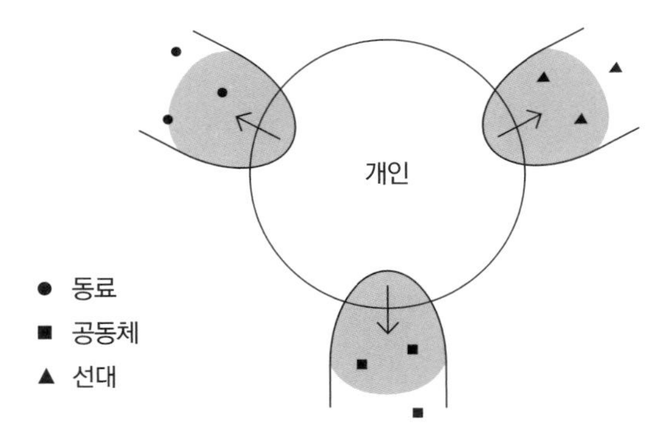

〈그림4-1〉 충성심 묘사의 한 가지 방식

발코니에서 바라보기

Q1 당신을 한 가지 이상의 방향으로 끌어당기고 있다고 느낀 특정 사건을 생각해보라. 그때 여러 방향으로 당신을 잡아당기고 있는 충성심의 대상을 맵핑할 수 있는가? 〈그림4-1〉과 같이 당신이 충성심을 느끼는 그룹들을 표현해보고 그들 간에 일어나고 있는 주요한 갈등을 정리해보라.

현장에서 적용하기

Q1 선대를 향한 충성심이 무엇인지 인지하는 것은 어려울 수 있다. 이 범주에 있는 충성심의 대부분은 정확히 정의하기 어렵고 무의식적으로 나타나곤 한다. 하지만 무의식이 잡아당기는 힘에 묶여 있기보다는 당신을 끌어당기고 있는 충성심이 무엇인지 표현하면 그 충성심의 실체를 이해할 수 있고 결정을 새롭게 내릴 수 있다.

당신을 끌어당기고 있는 선대들에 대한 충성심이 무엇인지 알아내는 한 가지 방법은 같은 뿌리를 가진 사람과 대화해보는 것이다. 형제자매, 사촌뿐 아니라 부모와 친척 어른들이 그 좋은 대상이다. 또한 같은 종교나 민족(혹은 지역)에 속한 사람들을 만나볼 수도 있다. 충성심이나 무의식의 근원이라는 표현을 직접 사용하는 사람은 그리 많지는 않을 것이다. 따라서 다음과 같이 물어볼 수 있다.

"당신의 민족적 정체성은 지금의 당신을 만드는 데 어떤 영향을 미쳤습니까?" "우리 가족과 공동체를 정의하는 사고나 가치는 무엇입니까?" 혹은 "할머니가 살았던 시대에 여자로 산다는 것은 어떤 것이었습니까?"

충성심의 우선순위를 정하라

충성심의 세 가지 범주 안에는 다양한 대상이 있고 각 대상에게 느끼는 충성심의 강도 역시 동일하지 않다. 서로 다른 충성심이 충돌할 때 더 중요하게 여겨지는 것이 존재한다. 다음 질문들을 던져보면, 각 범주에서 가장 중요하게 여기는 충성심이 어떤 것인지 확인할 수 있다.

충성심을 확인하는 질문

- 나는 누구에게 가장 큰 책임감을 느끼는가?
- 내가 일상에서 벗어난 행동을 할 때 누가 가장 격렬하게 반응하겠는가?
- 나는 누구에게 좋은 인상을 주기 위해 애쓰는가?
- 누가 가장 내게 실망하겠는가?
- 나는 누구의 지원을 가장 필요로 하는가?

충성심의 우선순위가 어떻게 정해져 있는지 스스로 인식하는 것은 어댑티브 리더십에서 매우 중요하다. 이를 통해 어떤 충성심이 당신을 붙들고 있는지, 어떤 충성심이 리더십을 방해하고 있는지 인식할 수 있다.

충성심의 우선순위를 어떻게 정하는지 스스로 진단할 수 있는 가장 좋은 방법은 말보다 행동을 관찰하는 것이다. 즉 충성심에 관해 어떻게 말하고 있는지가 아니라, 실제로 무엇을 하고 있는지 살펴보는 것이다. 마티는 젊고 야심 찬 매사추세츠 주 의원이었다. 평소 마티는 업무를 마치면 서둘러 집으로 돌아왔다. 그는 거실 소파로 어린 두 자녀를 불러서 책을 읽어주고는, 저녁마다 잡혀 있는 여러 모임에 참석하기 위해 부리나케 달려 나가곤 했다. 모임에 가는 내내 그는 자신이 얼마나 가정적인 사람인지 감탄하곤 했다. 그러나 마티의 자녀들은 그와는 전혀 다르게 그 시간을 경험하고 있었다. 또한 온종일 두 자녀 외에는 다른 사람과 대화할 기회가 없는 마티의 아내도 그 시간을 전혀 다르게 평가하고 있었다. 마티는 모임을 단 한 번도 놓치지 않고 참석했다. 만약 그가 발코니에서 자신을 관찰할 수 있었다면, 즉 그의 말이 아니라 자신의 행동을 관찰할 수 있었다면 그는 고통스러운 진실을 직면할 수밖에 없었을 것이다. 그는 자신의 아내와 자녀들이 아닌 그의 정치적 지지자들에게 더 충성했다. 대다수의 사람처럼 마티는 그가 중요하게 생각하는 주변 사람들의 눈에 성공한 사람으로 비치는 것을 직업적인 성공으로 여겼다.

〈그림4-1〉을 참고해 당신이 그렸던 그림을 다시 살펴보기 바란다. 이제, 다시 그려보라. 그룹의 크기를 조정해서 그 그룹이

당신을 끌어당기고 있는 힘의 세기를 표현해보라. 또한 당신에게 향한 그룹들의 기대가 부분적으로 겹쳐지는 부분이 있다면 그것도 그림으로 나타내보라. 화살표를 사용해서 그룹 간의 역학 관계가 적대적인지 서로 협력적인지도 표현해보라.

발코니에서 바라보기

Q1 충성심의 세 가지 범주(동료, 공동체, 선대) 중 어떤 것이 당신에게 가장 큰 힘을 발휘하고 있는가? 또한 각 범주 안에 속한 어떤 그룹이 당신에게 가장 큰 힘을 발휘하고 있는지 대답해보라. 시간, 에너지, 돈, 관심 등 당신의 자원을 어떻게 투자하고 있는지 2주 동안 일지를 기록해보라. 솔직하게 기록하는 것이 중요하다.

세 가지 충성심 범주에서 어떤 것에 가장 많은 자원을 쓰고 있는가? 2주 후 기록을 보면서 어떤 그룹에 충성심의 우선순위를 두는지 파악해보라.

Q2 이제는 '동료' 범주에 있는 분파를 좀 더 자세히 살펴보라. 상사, 동료, 고용인, 고객과 같은 분파 중 어느 것이 당신에게 가장 중요한가?

업무와 관련된 다양한 분파들에 대해서 당신이 시간, 에너지, 돈, 관심을 어떻게 투자하고 있는지 2주 동안 기록해보라. 업무적 측면에서 당신에게 가장 중요한 분파는 무엇인지 확인하라.

현장에서 적용하기

Q1 당신이 충성심에 대해 어떻게 말하고 있는지보다 실제로 어떤 행동을 하고 있는지를 체계적으로 관찰하라. 당신이 생각했던 충성심의 우선순위와 당신의 실제 행동을 통해 드러난 우선순위가 차이가 나는지 확인해보고 이를 제대로 이해하기 위해 다른 사람에게 도움을 받아라. 당신이 어떻게 시간을 사용하는지, 누구에게 당신의 시간과 에너지를 쏟는지를 확인하라.

Q2 다음 과정을 이용하여 당신의 충성심을 생생하게 나타내보라. 일단 믿을 만한 친구들과 조언자들을 모아보라. 그리고 직장에서 당신이 고군분투하고 있는 문제와 상황을 떠올려보라. 방 한가운데 서서 "이 상황에서 나는 누구에게 충성하고 있는가?"라고 질문하라. 당신의 마음속에 있는 여러 목소리(상사, 부서, 경쟁사, 고객, 멘토, 배우자, 부모, 종교 관계자 등)를 각 사람이 하나씩 대변하여 발표하게 하라. 그 사람이 대표하는 집단이 당신에게 미치는 상대적 영향력에 따라 당신과 거리를 두고, 서라고 요청하라. 그 상황에 대해 느낀 감정과 생각들을 그들에게 물어보아라. 그들의 이야기를 통해 충성심이 충돌하고 있는 상황을 해결하려고 할 때 어떤 불협화음에 직면하게 될지 예측해볼 수 있다.

말할 수 없는 충성심을 말하라

어댑티브 리더십을 발휘하고자 하는 조직이나 공동체에는 늘 문제가 있다. 개인이 조직의 일부라면 개인은 문제의 일부이기도 하다. 이는 개인이 문제 전체에 책임이 있다는 것이 아니다. 문제를 해결하는 데 노력을 많이 하지 않는다는 것도 아니다. 우리가 믿는 것과 우리의 행동 방식에서 비롯된, 그리고 우리를 붙들고 있는 충성심에서 나온 요소가 아주 작을지라도 문제와 관련 있다는 것을 뜻한다. 예를 들어 조직이 투명성 문제로 몸살을 앓고 있다고 해보자. 당신의 연봉이 알려지게 되면 화를 낼 사람이 있을지 모르기 때문에 당신은 연봉 정보를 공유하지 않을 것이고, 그렇다면 당신도 회사의 투명성 문제에 이바지하고 있는 것이다.

우리 모두는 내면의 충성심을 모든 사람에게 이야기하지 않는다. 특히 성취하려는 목표에 방해가 되는 충성심은 사람들에게 말하지 않을 것이다. '말할 수 없는 충성심'이라는 것은 당신이 솔직하게 이야기하는 인간관계나 가치관만큼이나 강력하지만 분명하게 드러나지는 않는다. 말할 수 없는 충성심은 내면의 어떤 욕구, 방어기제, 혹은 불안감에서 비롯되는 경우가 많다. 이러한 것들은 인간 내면의 일부일 뿐만 아니라, 우리가 세상과 상호작용을 하는 데 우리 안의 고상한 가치들만큼이나 강력하게 영향을 미칠 수 있다.

내가 문제에 기여하고 있는 부분, 즉 '전체 문제 중 나의 조각'이라고 부르는 것을 인식하고 확인하는 데는 두 가지 유익이 있다.

첫째, 그 문제 가운데 적어도 어느 정도 내가 통제 가능한 한 부분을 고칠 수 있다. 둘째, 당면한 어댑티브 챌린지를 해결하기 위해 다른 사람도 자신을 드러내야 하는 책임이 있다는 것을 이해시킬 수 있다. 따라서 그 과정은 동료들이 스스로 드러내기 어려웠던 충성심을 직면하게 하고, 여러 문제에 대한 그들 몫의 책임을 지도록 장려한다. 전체 문제 중에서 자신의 몫을 찾아내는 것은 본래 불편한 과정이다. 내가 이루어내겠다고 공표한 변화가 일어나지 못하게 방해했던 나의 역할이 있음을 인식하고 이를 책임지는 것이기 때문이다. 다음의 연습 내용이 도움이 될 것이다.

발코니에서 바라보기

Q1 소속된 그룹 및 조직의 변화 적응적 문제를 생각해보라. 그 문제에 내가 어떻게 영향을 미쳤는지 세 가지를 생각해보라.

내가 문제에 영향을 끼친 각각의 요소들을 고려하면서, '전체 문제 중 나의 몫'을 해결하기 위해 어떤 변화가 필요한지 생각해보라.

현장에서 적용하기

Q1 다음 쪽의 〈표4-1〉는 하버드 대학 동료인 로버트 케건Robert Kegan과 리사 라히Lisa Lahey의 《성인 학습과 변화에 대한 저항Adult Learning and Resistance to Change》연구에서 고안된 모형을 응용하여 만든 연습 문제다.*

조직 구성원 두세 명과 함께 서로의 답변을 경청하고, 서로의 성찰이 좀 더 명료해지도록 도우며, 각자 깨달은 것을 자신의 상황에 적용해보라. 직속 상사나 부하직원과 함께하는 것은 추천하지 않는다. 조직이 다루고 있는 어댑티브 챌린지를 함께 확인하라.

그러고 나서 각자 〈표4-1〉의 '질문1'에 대해 답을 적어보라. 각자가 적은 것을 토론하고 다음 질문으로 넘어가서도 이 과정을 반복하라. 모든 질문을 마칠 때까지 반복하고 표 아래에 있는 참고 사항도 읽어보라.

* 원문의 연습 문제와 연구에 대해서는 《말하는 방식은 일하는 방식을 어떻게 꾸는가? How the way we talk can change the way we work?》를 참고

질문	응답
질문1 현재 직면한 어댑티브 챌린지를 해결하기 위해 어떤 일이 더 자주 혹은 가끔 일어나면 도움이 되는가?	응답1 예) 일할 때 서로를 더욱 열린 태도로 대한다
질문2 응답1은 당신이 어떤 충성심 또는 가치를 기반으로 하고 있기 때문인가? '질문1'에 대한 각각의 응답에 대하여, 다음 문장을 완성해보라. '이 답은 내가 ~에 대해 충성심이 있다는 것을 의미한다'	응답2 예) 나는 투명성에 대해서도 충성심이 있고, 함께 일하는 동료에게도 충성심이 있다
질문3 응답2를 기반으로 당신에게 가장 중요한 충성심 두 가지를 선택하라. 그리고 각각에 대해 다음의 질문에 답하라. '나는 이 충성심에 충분히 헌신하지 못하게 만드는 어떤 행동을 하는가? 혹은 하지 않고 있는가?'	응답3 예) 나는 연봉에 관한 정보 공유를 계속해서 반대한다
질문4 응답3에서 나온 각각의 행동을 떠올리며, 그 행동을 유발하는 충성심이 무엇인지 다음 문장을 완성하면서 확인하라. '나는 또한 ~에 충성을 다하고 있을 수도 있다'	응답4 예) 나는 '사람들을 화내게 만들지 않아야 한다'는 가치와 '연봉은 개인적인 영역이다'라는 생각에 충성을 다하고 있을 수도 있다. 이 두 가치는 나의 배우자도 깊이 믿고 있는 것이다
질문5 어떤 나쁜 결과로부터 당신 자신을 보호하려고 응답3의 행동들을 하고 있는지 확인하라. '만약 내가 응답3의 행동을 하지 않았다면, 일어날 수 있는 끔찍한 일들의 목록'	응답5 예) 사람들이 나에게 화를 낼 것이고, 나의 배우자가 당황하고 나에게 실망할 것이다

〈표4-1〉 어댑티브 챌린지를 개인화하기

참고 〈질문2〉의 충성심은 당신이 사람들에게 표현하는 것이다. 〈질문 4〉의 충성심은 당신이 이루고 싶다고 말한 목표에 방해가 되기 때문에 숨기고 있는 충성심이다. 〈질문2〉와 〈질문4〉의 가치들 사이의 갈등을 해결하지 않으면, 당신은 현재의 상태가 유지되는 데 일조하고 있는 것일 수 있다. 그러나 그 갈등을 해결하려면 〈질문5〉의 끔찍한 결과를 감수하거나 혹은 〈질문2〉의 고상한 충성심을 희생해야할 수도 있다. 이는 즐거운 선택이 아니며, 많은 사람이 그런 선택을 피하고 싶어 하는 것은 당연하다. 〈질문5〉의 두려움은 현실이 아닌 가설이라고 간주하고, 위험도가 낮은 실험을 해보라. 위 사례에서 위험도가 낮은 실험이란 당신의 연봉을 대략 알려주거나 고위 경영진들의 연봉만을 공개하는 것이 될 수 있다.

4.3

내면의 현을 이해하라

Know Your Tuning

나라는 시스템을 이해하기 위해서는 내가 어떤 자극에 반응하도록 조율되어 있는지를 알아야 한다. 사람들은 각각 조금씩 다르게 조율된 현악기와 같다. 인생을 살아갈 때 내면의 현(絃)이 조율된 고유한 특성에 따라 상황과 환경에 다르게 반응하면서 나만의 소리를 울린다.

내면의 현은 다양한 요소의 영향을 받아 조율된다. 유년 시절의 경험, 유전적 성향, 문화적 배경, 성별, 현재와 과거의 다양한 그룹 안에서 형성된 정체성 등이 영향을 미치는 것이다. 그러므로 개인적인 삶에서 경험한 사건들은 조직에서 어떻게 반응하고 행동하는지에 단기적으로나 장기적으로 영향을 준다.

내면의 현은 끊임없이 진동하면서 나는 누구인지, 나에게 무엇이 중요한지, 나는 무엇에 예민한지, 취약점은 무엇인지를 주변 사람에게 전달한다. 어떤 사건이 일어났을 때 그 사건이 내면에 있는 강력한 기억이나 열망을 얼마나 자극하느냐에 따라 내면의 현은 강하게 반응하기도 하고 혹은 약하게 반응하기도 한다. 일상적인 사건에 파묻혀 있으면 내면의 현이 특정 순간에 어떻게 반응하는지 인식하기 어려울 수 있다. 그러나 상황과 환경이 내면의 현을 어떻게 자극하고, 어떻게 나에게 영향을 미치는지 이해하는 것은 매우 중요하다. 이를 이해해야만 외부 자극에 그저 반사적

reactive으로 행동하는 것을 넘어서 책임감 있게 반응responsive할 수 있기 때문이다.

미구엘의 현 vs 마리아의 현

세계 각국에서 온 40여 명의 남녀가 참여한 리더십 훈련 과정의 퍼실리테이터로 대화를 이끌었던 적이 있다. 참여자들은 정부, 기업, 비영리 기관에서 꽤 높은 직책을 맡은 사람들이었고, 그중 스페인에서 온 중년 남성 미구엘은 성공한 사업가였다. 또 다른 참여자 마리아는 콜롬비아 출신의 젊고 야심 찬 여성으로 그 역시 사업가의 길을 걷고 있었다.

첫 이틀 동안 미구엘과 마리아는 서로 직접 대화를 나누지 않았지만, 그들 사이에는 왠지 모를 긴장감이 흘렀다. 우리가 두 사람 간의 상호작용에 대해 언급하자 사람들은 둘의 긴장 관계를 이해하려고 노력하기 시작했다. 두 사람은 다른 참여자의 지지와 격려 속에서 깊이 있고 진솔하게 대화를 한 후 그들의 상황을 분명하게 이해했다. 미구엘은 자신과는 매우 다른 가치를 지향하는 젊은이들과 갈등을 겪었던 개인적인 경험이 있었기 때문에 계속해서 반사적인 반응을 보였다. 그가 생각하기에 젊은 사람들은 자신과는 달리 '당연히 해야 할 역할을 하지 않는다'고 생각했고 자신처럼 경험 있는 사람에게서 배우려는 자세가 없다고 생각했다.

한편, 마리아는 미구엘이 경력을 쌓기보다는 결혼해서 가정을 꾸려야 한다고 압박했던 자기 아버지처럼 느꼈다.

미구엘과 마리아의 내면의 현은 매우 다른 경험으로 조율되어 왔기 때문에 각자의 현이 내는 소리는 서로에게 몹시 거슬렸다. 우리는 이 불협화음을 멈추고 진짜 문제를 발견하기 위해 미구엘과 마리아에게 앞 장에서 설명했던, 상대방으로 인해 자신의 머릿속에 떠오른 대여섯 가지의 목소리를 이야기해보는 상황극을 해보도록 제안했다. 그리고 다른 참여자에게 이 목소리 중 하나씩 역할을 맡아 미구엘과 마리아 뒤에 서 있어 달라고 요청했다.

마지막으로 우리는 미구엘과 마리아에게 대화를 나누어보라고 했다. 대화를 나누면서 동시에 자신들의 뒤에 있는 목소리가 자신들을 향해 어떻게 상대에게 반응해야 한다고 주장하고 있는지 잘 들어보라고 요청했다. 대화가 시작되자 너무 많은 목소리로 시끄러웠고, 이런 소음 속에서 둘 다 상대방의 말을 제대로 들을 수 없었다. 미구엘과 마리아는 자신의 내면의 현이 어떻게 반응하는지 이해하자마자 웃기 시작했다. 둘의 웃음은 그들이 새로운 관점을 가지게 되었고 발코니로 올라가는 방법을 알게 되었다는 긍정적인 신호였다. 그 둘은 서로에게 얼마나 많은 공통점이 있는지 깨달았고, 남은 워크숍 동안 서로 협력하면서 공통으로 관심 있는 주제에 대해 의미 있는 논의를 할 수 있었다.

우리가 환경과 사건으로부터 크게 영향을 받는다는 것은 인간이 자유의지를 가진 존재라는 신념에 맞선다. 하지만 발코니에 올라서서 자신에게 영향을 미치는 힘이 무엇인지를 관찰할 수 있다면 그 자체로 자유의지를 행사하고 있는 것이다. 내가 관계망 안에 있고, 나를 둘러싼 관계로부터 영향을 받는다는 현실을 인정하게 되면, 당신은 그 관계의 힘을 이해하면서 더욱더 자유롭게 행동할 수 있다.

리더십을 발휘하려 할 때 한 사람이 가지고 있는 독특한 내면의 현은 위험 요소가 될 수도 있고 기회가 될 수도 있다. 내면의 현을 이해함으로써 자신의 취약한 부분과 예민한 면을 인식하고 보완할 수 있다.

예를 들어 치열한 논쟁과 갈등 속에 있다고 해보자. 상황이 급격히 나빠져서 생산적이지 못한 상태가 되어가고 있다면, 이러한 상황을 효과적으로 전환하기 위해서 온도를 낮추려는 조치를 취해야 할지도 모른다. 휴식을 취하는 것처럼 말이다. 하지만 만약 당신이 논쟁을 즐기는 성향이 있다면 현재의 압박 수준이 압력솥이 폭발하기 직전과 같은 상태임을 전혀 눈치채지 못할 수 있다. 당신은 점점 더 강도가 세지는 갈등을 흥미진진하게 느끼지만 다른 사람은 그것을 견딜 수 없어서 입을 다물기 시작할 것이다. 이처럼 자신의 내면의 현이 갈등에 어떻게 반응하는지 안다면 온도를 낮추어야 할 때가 언제인지 파악하기 쉬울 것이고, 실제 필요한 단계를 밟아나갈 수 있을 것이다.

반대로 당신의 내면의 현이 갈등을 강하게 거부하도록 조율됐다고 가정해보자. 매우 엄격한 부모에게 심한 통제를 받는 가정에서 성장했거나, 혹은 알코올 중독이나 다른 질병 등으로 통제가 어려운 가정환경에서 성장했다면 실제로 갈등에 대한 거부감이 심할 수 있다. 이런 경우 학습과 생산성에 긍정적인 영향을 미치는 적절한 압력의 온도에도 예민해져서 온도를 낮추기 위해 반사적으로 행동하거나 학습의 과정을 성급하게 중단시킬 수도 있다.

과거에 어떠했던 간에 내면의 현은 두 가지 면에서 약점이 될 수 있다. 첫째, 내면의 현이 건드려졌을 때 보이는 반응이 예측가능하기 때문에 변화를 반대하는 사람들이 당신을 쉽게 조종할 수 있다. 둘째, 내면의 현은 밝은 면도 있지만 어두운 면을 드러내기도 한다. 예를 들어 당신이 업무를 성공적으로 완수할 때 느끼는 만족감과 자부심에 매우 강하게 반응하도록 조율됐다고 가정해보자. 당신의 이런 속성은 책임감 측면에서는 확실히 미덕이다. 하지만 거대한 어댑티브 챌린지를 이끌어가고 있을 때는 혼자서 이 모든 일을 끌고 갈 수는 없다는 것을 기억해야 한다. 적합한 사람들에게 일을 나누어주어야 하고, 협력자들과 짐을 나누어야 하며, 문제의 원인을 제공하고 있는 조직원에게는 그 문제를 해결하도록 그들의 몫을 돌려줘야 한다. 하지만 이런 상황에서 자신 몫의 일을 하기 싫은 사람이 '당신이 얼마나 책임감이 높은 사람인지' 칭찬하며 교묘하게 당신을 조정할 수도 있으며, 이런 경우 당신은 더욱 남에게 일을 맡기지 못할 수 있다. 높은 책임감의 어두운 측면은 자신이 없으면 일이 안 된다는, 꼭 필요한 존재로 인정받고 싶어 하는 욕구다. 이런 속성으로 인해 다른 사람에게 일을 나눠주기가 더욱 어렵게 된다.

개인과 마찬가지로 부부, 팀, 단체, 조직 등도 그들만의 현이 있다. 그리고 때로는 그들의 현이 어떻게 작동하고 있는지가 신체적인 표현으로 나타내기도 한다. 다음번 회의에서 최고 경영자가 발언할 때 누가 자세를 바로잡고 곧게 앉아 있는지를 관찰해보라. 또 누가 뒤로 물러나 있는지, 어떤 주제의 발언과 사건들이 나왔을 때 마치 경기장의 열기를 높이는 파도타기 응원을 하는 것처럼 모든 사람이 반응하고 공감하는지를 살펴보라.

고유한 특징에 조율된 내면의 현은 소중한 자원이 되기도 하고 제약이 되기도 한다. 무언가에 예민하게 조율되어 있다면, 그것이 일어나려 할 때 다른 사람보다 먼저 그것을 알아챌 수 있을 것이다. 다른 사람은 그것이 무엇인지 이해하지 못하고 무시하려고 할 때도 민감하게 반응할 수 있다. 이런 민감성은 시간이 쌓일수록 동료와 구별되는 능력이 된다. 하지만 이런 민감함 때문에 어떤 것이 실제로 존재하지 않는 때에도 그것이 존재한다고 착각할 수도 있다.

내면의 현이 어떤 부분을 만나 점점 더 예민하게 조율될수록, 그 부분을 접했을 때 실제로 일어나지 않은 일을 일어난 것처럼 보게 될 위험이 커진다. 잘못된 결론을 성급하게 내리기 쉽고, 복잡한 사건들이나 역학 관계를 파악하려고 노력하지 않게 된다.

마지막으로 다른 사람들이 당신 내면의 현이 어떻게 조율됐는지 알게 되면 자신들의 이익을 지지하도록 만들거나 당신의 이익을 포기하도록 유인할 수 있다. 당신은 휘둘리기 쉬운 사람이 된다. 예를 들어 당신이 고함치는 것에 예민하고 불편해한다면, 사람들은 적절히 고함을 치면서 당신이 리더십을 발휘하지 못하게 만들 것이다. 또한 만약 당신이 다른 사람의 감정적인 고통에

취약하다면, 동료들은 당신 앞에서 괴로운 감정을 드러내면서 당신이 하려는 시도를 실행하지 못하게 만들 수도 있다.

변화 적응적인 상황에 맞추어 리더십을 발휘한다는 것은 '현재'에 집중하여 반응할 수 있는 역량을 의미한다. 이것은 과거의 경험을 토대로 현재를 이해하는 것과는 다르며, 과거의 경험이 불완전하긴 하지만 현재 일어나는 일을 이해하는 모형이 된다고 생각하는 것과도 다른 것이다.

그런데 특정 상황에서 당신 내면의 현이 너무 강렬하게 반응하면, 현재에 집중하여 리더십을 발휘하는 것이 매우 어렵게 되고 이로 인해 잘못된 진단과 행동을 하기 쉽다. 어떤 날카로운 경험은 당신이 겪은 과거의 어떤 것을 떠올리게 하거나, 현재 상황과는 연관이 없는 문제를 떠올리게 하기도 한다. 그러면서 그 경험은 현재를 완전히 장악해버린다. 이렇게 특정 상황이 당신을 지배하는 힘을 '방아쇠trigger'라는 개념으로 설명해보려 한다.

자신의 방아쇠를 파악하라

방아쇠가 당겨지는 것은 흔한 경험이다. 누군가가 당신의 '뚜껑이 열리게' 하거나 '신경을 건드리는' 경우가 얼마나 자주 있는가? 동료의 짧은 말 한마디, 배우자의 행동, 아주 사소한 자극이 당신을 폭발하게 만들 수도 있고, 순간적으로 자신을 통제할 수 없게 만들 수도 있다. 내면의 방어기제가 발현되는 일련의 과정이 존재하는데, 방어기제는 두려움이라는 감정에서 시작하여 공격성으로 발전되게 마련이다. 방어기제가 작동하기 시작하면, 내면의 밝고 전략적이고 품위 있고 배려심 있는 자아는 무너지고 원초적이고 방어적인 자아가 일시적으로 나타난다.

더 심각한 문제는 방아쇠가 당겨졌을 때 주변 사람들의 방아쇠도 당길 수 있다는 것이다. 이렇게 되면 불협화음이 일어나고 생산성 또한 무너져버린다. 공식적이든 비공식적이든 당신이 권한을 많이 가지고 있을수록 더 큰 피해를 준다. 이러한 문제는 규모가 큰 공적 영역에서도 그 예를 찾아볼 수 있다. 리처드 클라크의 책 《모든 적에 대항하여Against All Enemies》에는 조지 부시 대통령에 관한 이야기가 나온다. 조지 부시 대통령은 자신의 아버지가 이라크에서 했던 일들이 마무리되지 못한 상태라고 믿고 있었다. 9 · 11 테러를 당하면서 그의 방아쇠는 당겨졌고 부시는 성급하게도 테러에 맞선 대책으로 이라크 전쟁을 결정해버렸다.

방아쇠는 훨씬 더 작은 단위인 개인적인 수준에서 당겨지기도 한다. 알렉산더는 '너의 운명은 너 자신이 만드는 것'이라는 아버지 말씀을 듣고 자랐다. 그 격언은 때때로 매우 유용했지만 일이 제대로 안 풀리고, 내면의 불안감이 증폭될 때면, 알렉산더의 머릿속을 맴돌았다. 마치 아버지가 알렉산더의 귀에 직접 대고 고함치는 것처럼 느껴지면서 알렉산더의 방아쇠가 당겨졌다. 그럴 때마다 그는 자신의 운명을 적극적으로 만들기 위해 더 많은 일을 떠맡거나 다른 사람의 문제를 해결해주려고 노력했다. 하지만 그런 노력의 결과로 상황이 더 복잡해진 경우도 많았다.

만약 당신이 발코니에서 바라보는 것에 익숙하다면 사람들의 방아쇠가 언제 당겨지는지 잘 알고 있을 것이고 자신의 방아쇠가 언제 당겨지는지도 잘 알고 있을 것이다. 방아쇠가 당겨지면 행동의 변화가 나타나기 마련이다. 목소리가 지나치게 커지거나 갑자기 부드러워지기도 하고, 회의에서 조용하던 사람이 갑자기 날카로운 발언을 하기도 하며, 평상시에 말이 많던 사람이 조용해지기도 한다. 방아쇠가 당겨지면 심장이 뛰고, 숨이 가빠지며, 손바닥에 땀이 나는 등 신체적 증상이 나타날 수도 있다.

자신의 방아쇠가 언제 당겨지는지 아는 것은 매우 중요하다. 방아쇠가 나를 지배하는 것이 아닌 내가 방아쇠를 통제하기 위한 첫 단계이기 때문이다.

발코니에서 바라보기

Q1 최근에 자신도 놀랄 정도로 격렬하게 반응했던 사건이 있었는지 생각해보라.

무엇이 그런 반응을 자극했는가? 그 사건이 과거와 어떻게 연관되어 있는가? 그 과거의 경험이 내게 왜 중요한가? 그리고 왜 아직 해결되지 않았는가? 내가 예민하게 반응하는 이유를 더 깊게 이해할 수 있을 때까지 곰곰이 생각해보라. 그리고 그것을 기록해보라.

방아쇠가 당겨졌을 때 나의 반응을 예상해보고 그 방아쇠가 부정적인 영향을 끼치지 못하게 하라.

현장에서 적용하기

Q1 대화나 회의에서 나의 방아쇠가 당겨졌다고 느낄 때, 그 상황을 통제할 수 있는 몇 가지 방안을 연습해보라. 예를 들어 처음부터 급하게 반응하지 말고 두세 번의 발언 기회가 지나갈 때까지 기다려보라.

다른 사람의 방아쇠가 당겨진 것을 알았을 때 그 사람이 상황을 통제할 수 있도록 도울 수 있는 몇 가지 방법을 연습해보라. 예를 들어 과도한 반응이 나타났을 때, 이 반응에 대해 잠시 인지시킬 수 있다.

이런 조처를 한 뒤 나와 그 사람에게 어떤 일이 일어나는지 관찰하라. 대화나 회의에서 어떤 일이 일어나는지도 살펴보라.

욕구와 물 나르기

특별히 관심을 기울여야 할 두 가지 유형의 방아쇠가 있다. 그것은 바로 '욕구hungers'와 '다른 사람의 물을 나르는 것carrying other people's water'이다.

먼저 욕구를 살펴보자. 욕구는 우리를 매우 취약하게 만들 수 있다. 일반적으로 사람들에게는 세 쌍의 욕구가 존재하는데, 이런 욕구가 제대로 충족되지 않으면 다루기 매우 어려워진다. 그 세 쌍의 욕구는

(1) 권력과 통제power and control

(2) 지지와 인정affirmation and importance

(3) 친밀감과 즐거움intimacy and delight이다.

만약 어떤 것을 통제할 수 없다거나, 적절하게 인정받지 못한다거나, 사랑받지 못한다고 느낀다면 내면의 충족되지 못한 욕구를 달래주는 사람들의 희생양이 될 수 있다. 그들은 순수하게 그런 행동을 할 수도 있고, 의도적으로 자신들이 원하지 않는 적응적 변화를 추진하지 못하게 하기 위해 당신을 조종할 수도 있다. 예를 들어, 당신이 시도하려는 행동으로 인해 현재의 지위를 잃게 될 수도 있는 동료는 그 시도가 추진되지 않게 하려고 '당신

이 얼마나 중요한 사람인지' 말하면서 주의를 분산시킬 수 있다.

사람들은 이런 욕구가 충족되지 못했을 때 부적절한 방식으로 자신의 욕구를 채우려 하기도 한다. '친밀감과 즐거움'의 욕구가 충족되지 않았을 때 동료와 불륜 관계를 맺어 이런 욕구를 채우려는 것은 흔히 볼 수 있는 사례다. 그렇지만 이보다 덜 극적이고 덜 파괴적이더라도 자신의 욕구를 부적절하게 채우는 사례가 종종 있다. 예를 들어 더 큰 명성을 얻거나 더 큰 사무실을 소유하려는 욕심을 내면서 자신이 그동안 쌓아온 신뢰를 무너뜨리는 것이다.

우리는 탈진했거나 무엇인가에 압도되는 감정을 느끼는 사람들을 종종 만난다. 특히 비영리 영역에서 그러했고 영리와 공공 영역에도 있었다. 사람들이 그처럼 기진맥진해진 주요 원인은 다른 사람의 물(타인의 희망, 욕구, 기대, 두려움)을 나르려고 하기 때문이다.

우리는 태어나는 순간부터 다른 사람의 기대, 희망, 열망, 두려움, 좌절 등을 짊어지고 살아간다. 부모, 교사, 멘토 등으로부터 받은 많은 기대는 우리가 성장하여 세상으로 나아갈 때 지혜, 격려, 지도의 원천이 되어준다. 그러므로 성인이 되기 전까지는 타인의 기대가 우리에게 많은 혜택을 준다고도 할 수 있다. 하지만 성인이 되면 다른 사람의 희망은 그들이 풀지 못한 문제를 우리에게 전가하는 양상을 띠기도 한다. 그렇게 되면 그들의 문제는 어느새 우리 자신의 문제가 되고, 우리는 그들의 기대에 쉽게 응하면서 스스로 엄청난 취약점을 지니게 된다. 이에 대한 가장 좋은 사례는 대통령 선거일 것이다. 표를 얻기 위해 후보자들은 수백만 국민의 희망과 두려움을 기꺼이 짊어지지만, 이 모든 기대를 충족할 수 없다는 것을 결국 깨닫게 될 수밖에 없다.

누구의 물을 나르는지에 따라서 내면의 현과 내적 동인이 형성되기도 한다. 예를 들어 부모님이 많은 돈을 가져본 적이 없고, 자신들이 가난하다는 사실을 부끄럽게 여겨왔다고 해보자. 그렇다면 당신도 그 수치심을 받아들여서 가난에서 벗어나려 고군분투할 뿐 아니라 부모님께 돈을 벌어 드리고 싶어 할 것이다. 하지만 가난에 대한 수치심은 당신에게서 시작된 것이 아니다. 그것은 부모님의 수치심이다. 당신이 그 수치심을 대신 해결할 수는 없다. 부모님께 돈을 벌어다 드린다고 해서 부모님의 자의식과 세계관에 뿌리 박힌 수치심을 불식할 수 없다. 부모님을 편안하게 해드리고 자랑스러운 자식이 될 수는 있지만, 그 자부심이 부모님의 상처를 치료해줄 수 있는지는 알 수 없다. 그것은 당신 통제 밖의 일이다. 그럼에도 당신은 부모님의 수치심이 덜어지기를 기대하며 계속 그 문제에 매달려 있을 수도 있다. 당신은 '부모님의 물을 나르고 있는 것'이고, 부모님은 당신이 계속 그렇게 하기를 기대할 수 있다.

직장에서도 우리는 종종 다른 사람의 물을 나른다. 당신도 '가족이나 가문의 부와 명예를 위해 물을 나르는 일 중독자'를 한두 명은 알고 있을 것이다. 물론 소중한 누군가의 짐을 덜어주려는 것은 존중받을 만한 목표다. 하지만 다른 사람의 물을 너무 많이 나르거나 너무 많은 사람의 물을 나르다 보면 결국에는 압도되기 마련이다. 다른 사람의 문제를 해결하는 것은 자신의 문제를 해결할 때보다 통제하기가 훨씬 어렵기 때문이다. 오랫동안 압도당한 느낌을 받다 보면 무언가를 해낼 수 있는 능력을 잃고 말 것이다. 그것이 적응적 변화를 이끌어가는 일이든, 직장이나 가정에서의 간단한 일이든 말이다. 무엇이 나를 지치게 하는지 이해하는 것은 내가 짊어진 짐을 덜어내고 다른 사람들이 그들의 물을 스스로 나르게 하기 위한 첫걸음이 될 것이다.

발코니에서 바라보기

Q1 압도된 느낌을 받을 때 자신에게 물어보라. '나는 지금 누구의 물을 나르고 있는가? 왜 나는 그 물을 날라야 한다고 생각하는가? 이 문제를 그들에게 돌려주려면 무엇을 해야 하는가?' 해야 할 일을 추가하기보다는 이것이 누구의 일인지 질문하고 그들이 받아들일 수 있는 속도로 과업을 돌려주는 방법을 계획해보라.

현장에서 적용하기

Q1 당신이 하는 일의 25%는 다른 사람이 할 수 있거나 해야 할 일이라는 가정에서 시작하라. 다음 2주 동안 사무실에서 해야 할 일을 모두 작성하고 각각의 일에 어느 정도의 시간이 소요될지 적어보라.

그 업무 중 4분의 1 정도를 다른 사람들에게 넘겨줄 일로 선택한 후 이를 실행해보라. 중요한 일에 투자할 수 있는 상당한 시간을 확보하게 될 것이다.

4.4

자신의 대역폭을 확장하라

Broaden Your Bandwidth

당신은 자신self이라는 하나의 시스템system이다. 그리고 시스템을 이해하기 위해서 이를 구성하는 주요 요소인 충성심, 내면의 현tuning, 대역폭을 이해해야 한다. 대역폭이란 조직에서 변화를 이끌어가는 데 사용할 수 있는 역량의 목록이다. 이 역량들은 다양한 범위를 포괄한다. 예를 들어 우아하고 영감 있는 화법에서부터 대면 접촉 기술 등 다양한 역량이 포함된다. 당신이 처한 상황과 연관된 사람에 따라 필요한 역량들을 선택하고 조합해서 활용해야 한다. 이를 위해서 폭넓은 역량 목록, 즉 대역폭이 필요하다. 스포츠팀의 유명한 감독들은 선수마다 다른 조언을 해준다. 어떤 선수는 부드러운 자극이 필요하고, 어떤 선수는 손을 많이 잡아주는 돌봄이 필요하고, 어떤 선수는 밀착 지도가 필요하다.

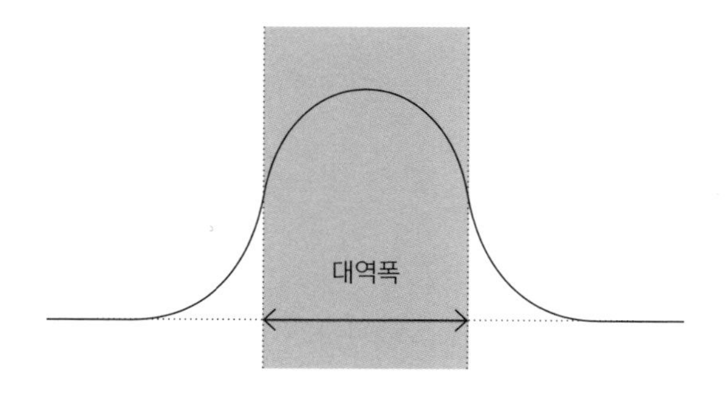

〈그림 4-2〉 대역폭의 확장

대역폭을 넓히려면 당신이 가지고 있는 현재의 역량 목록을 진단해야 한다. 나는 어떤 기술을 능숙하게 사용하는가? 아직 능숙하지 못한 기술은 무엇인가? 온도 높이기, 발코니에서 바라보기, 기술적 문제와 어댑티브 챌린지 구별하기 등 지금까지 이 책에서 배운 기술들을 생각해보라. 자신의 강점과 약점을 파악하는 것은 어떤 특정 상황에서 개입하는 것이 유익할지, 언제 개입하는 것이 좋은지를 결정하는 데 도움이 된다. 간단한 예로 당신의 역량이 구성원들이 기존의 업무를 잘할 수 있게 하는것이라면, 조직의 미래를 위한 다양한 실험을 이끌어갈 사람은 따로 세워야 할 필요가 있다.

자신의 인내심을 발견하라

어댑티브 리더십을 발휘하려면 무엇이 필요할까? 무엇보다 미지의 영역으로 과감히 발걸음을 옮기고, 기존의 상황을 변화시키고자 하는 의지와 그렇게 행동할 수 있는 역량이 있어야 한다. 대부분의 사람은 혼돈보다는 안정을, 혼란보다는 명확함을, 갈등보다는 질서를 선호한다. 하지만 어댑티브 리더십을 발휘한다는 것은 자신과 주위 사람들에게 혼돈, 혼란, 갈등을 발생시키는 일이라는 사실을 이해하고 받아들여야 한다.

이는 적응적 변화를 이끌기 위해서는 무질서, 모호성, 긴장에 대한 인내심을 기르는 것이 특히 중요하다는 것이다. 내가 어느 정도 인내할 수 있는지는 내면의 현이 어떻게 조율되어 있는지에 달려 있다. 내가 올바른 일을 하고 있는지, 올바른 방법으로 일하고 있는지 확신할 수 없는 상황에서도 나는 잘 견딜 수 있는가? 또한, 다음과 같이 자신에게 말할 수 있는가? "이렇게 하는 것이 맞는 것인지 모르겠지만, 우리가 뭔가 시도해야만 한다는 것은 알고 있다. 그리고 우리가 하는 시도는 일종의 실험으로 간주해야 한다." 만약 당신이 여행에서 매일 밤 어디서 묵을지 미리 알아야 하는 꼼꼼한 계획형 인간이거나, 할 일 목록을 작성하고 그 일을 완료할 때마다 표시해야 하는 정리형 인간이라면 적응적 변화에 따르는 상당한 모호함을 견디기 어려울 수 있다.

또한 다음과 같은 질문도 중요하다. 당신은 다른 사람이 중요한 가치를 위해 투쟁하는 것을 지켜보는 것이 편안한가? 그들이 투쟁할 수 있도록 돕는 것은 어떤가? 혹시 긴장감이 나타나기 시작하면 그 갈등을 억누르거나, 긴장을 가라앉히는 것이 익숙한 사람은 아닌가? 조직이나 공동체에서 분파가 생기는 것을 막기 위해 단기적으로라도 윈-윈 전략을 찾으려고 애쓰는 사람은 아닌가? 당신이 만약 그런 성향을 가지고 있다면 분열을 초래할 수 있는 어려운 문제를 밖으로 드러내는 것에 어려움을 느낄 것이다. 특히 당신이 의사결정자라면 갈등적인 문제를 드러내는 것이 더욱 어려울 수 있다. 사람들은 당신이 상황을 평정하고 질서를 유지해주길 기대하기 때문이다.

자신의 대역폭을 확장하기는 쉽지 않다. 대역폭을 확장한다는 것은 자신의 안전지대에서 벗어나는 것을 의미하며, 그럴 경우 자신의 무능력함이 드러날 수 있기 때문이다. 하지만 자신의 대역폭을 확장하는 것은 역량의 문제라기보다는 의지의 문제다. 몇 가지 사례를 살펴보자.

프레드는 규모는 작지만 매우 성공적으로 회사를 운영하고 있다. 프레드는 카리스마가 넘치고 그럴듯한 이미지를 가진 인물로 회사는 그런 그의 이미지에 맞게 성장해왔다. 회사의 빠른 성장에는 프레드의 개성과 감각 그리고 고객들과의 네트워크가 중요한 역할을 하고 있었다. 그는 고객들과 관계를 맺으며 그들의 문제에 혁신적인 해결책을 제공하는 것을 좋아했고 회사 내부에서도 창의적으로 문제를 해결하는 역할을 좋아했다. 하지만 그는 자신이 회사를 관리하고 운영하는 것은 좋아하지 않는다는 것을 깨달았고, 회사의 모든 행정 업무를 책임질 행정 전문가를 고용했다. 그러나 그가 최고 경영자라면 당연히 맡아야만 하는 인사 관련 업무도 좋아하지 않는 것이 문제였다.

그는 갈등을 좋아하지 않았고 직원의 개성과 욕구를 이해하고 직원의 개별적인 문제를 처리하는 것을 불편해했으며, 그런 것을 처리하는 것이 능숙하지도 않았다. 그런 업무를 잘하려고 노력하는 것은 그를 매우 지치게 했고 일하는 즐거움을 빼앗아가곤 했다. 하지만 회사가 시장에서 최고의 위치에 오르기 위해서는 자신이 직원들을 잘 관리하고, 그들이 고객과 좋은 관계를 형성해나갈 수 있도록 도와야 한다는 것을 깨달았다. 그가 직원 관리에 자신감을 얻고 능숙해지는 데는 1년이 걸렸다. 직원들은 그의 사무실을 찾아와 자신들의 문제를 해결해 달라고 요청하기도 하고, 자신들의 문제는 스스로 해결하도록 내버려 두라고 요청하기도 했으며, 때로는 자신들이 어떤 문제에 직면해 있는지 이해해 달라고 요구하기도 했다. 이 모든 과정은 매우 힘든 시간이었으며 그에게 엄청난 변화와 적응의 과정이었다.

비슷한 사례가 하나 더 있다. 유능한 그래픽 디자이너인 주디는 단지 디자인 부서의 여러 디자이너 중 하나로 머물고 싶지 않았다. 그는 출판 업계에서 인정받을 만한 큰 업적을 남기고 싶었다. 그래서 주디는 동료 디자이너들과는 달리 디자인 자체뿐 아니라 자신이 디자인하는 콘텐츠 자체에도 관심을 많이 기울였다. 하지만 그는 자신이 추구하는 출판물을 만들어내고 자신이 원하는 모습의 디자이너로 성장하려면 그 스스로 '까다로운 매니저'가 되어야 한다는 것을 깨달았다.

매니저 역할에 익숙해지는 것은 쉽지 않았다. 그에게 익숙하고 편안한 역할은 컴퓨터 앞에 혼자 앉아서 '훌륭한 디자인'을 만들어내는 것이었다. 그는 '훌륭한 직원'을 길러내는 것이 자신의 역할이라고는 생각하지 않았다. 주디가 매니저로서 자신을 훈련하는 데에는 프레드보다 더 오랜 시간이 걸렸다. 수많은 시행착오의 과정을 거치며 그는 자신의 의지만으로 그 분야에서 상징적인 인물이 되었다. 프레드와 주디에게 필요했던 대역폭은 타고난 능력을 뛰어넘는 것이 아니라 안전지대를 벗어나 미지의 세계로 들어가는 용기와 인내심이었다.

발코니에서 바라보기

Q1 최근에 까다로웠던 대화를 나눈 적이 있는가? 얼마 동안 했는가? 이 질문에 대한 대답은 불안정 상태에 대한 인내심의 수준을 드러낸다. 예를 들어 대화를 30분 이상 했다면 상당한 인내심을 가진 사람이라 할 수 있고, 겨우 3분 혹은 몇 초 동안이었다면 인내심이 거의 없다고 할 수 있다.

Q2 혼돈, 혼란, 갈등을 느끼거나, 다른 사람들이 그런 것을 겪고 있다고 느낄 때 당신은 무엇을 하는가? 농담하는가? 대화를 끝내는가? 다른 누군가에게 일을 떠맡기는가? 감정을 억누르는가? 이런 기술들은 당신의 인내심에 대해 무엇을 의미하는가? 혼돈, 혼란, 갈등 상황에 대한 인내심이 낮다면 이를 어떻게 강화할 수 있는가?

현장에서 적용하기

Q1 누군가와 어려운 대화를 시작하게 되었을 때 그 대화에서 빠져나오려고 하지 말라. 대화에서 빠져나올 기회가 있더라도 좀 더 대화를 지속할 수 있는지 살펴보라. 그때의 상황을 평가해보고 또다시 대화를 시도하라. 갈등과 혼돈을 견딜 수 있는 자신의 대역폭을 천천히 확장해 가다 보면 자신이 이미 가지고 있는 역량이 무엇인지, 그리고 앞으로 키워야 하는 역량이 무엇인지 깨닫게 될 것이다. 당신이 중요하게 여기고 있는 주제나 당신에게 직접적인 유익을 줄 수 있는 문제에 대해서 좀 더 인내할 수 있을 것이다.

Q2 동료에게 당신이 회의에서 갈등이나 복잡한 상황이 펼쳐질 때 어떻게 반응하는지 관찰하고 기록해 달라고 요청하라. 기록된 것을 보면서 당신의 행동에 일련의 양상이 있는지 살펴보라. 예를 들어 당신이 꼭 필요하다고 믿는 변화를 사람들이 수용하도록 사람들에게 직접 명령을 하는지, 부드럽게 설득을 하는지 파악해보라. '갈등을 견딜 힘'을 키우는 것과 같이, 당신의 대역폭을 어떻게 넓힐 수 있는지 토론해보라.

4.5

자신의 역할을 이해하라

Understand Your Roles

맥락은 중요하다. 당신 안에는 자신의 고유한 가치관과 우선순위, 민감성뿐 아니라 조직의 가치관과 우선순위, 민감성도 함께 존재한다. 모든 조직의 부서나 집단도 마찬가지다. 각 개인과 집단은 조직 시스템이라는 큰 그림의 한 부분을 차지한다. 각 요소는 상황에 따라 각기 다른 때에 나타나며, 문제를 둘러싼 연합체나 행동 방침의 형태로 나타날 수 있다.

예를 들어 오랫동안 함께 어울리지 않았던 다른 부서에 속한 두 사람이 각 부서에 모두 관련 있는 문제 해결 방법을 논의하는 자리에서 만나게 된다면, 두 사람은 서로를 신뢰하기 어려울 것이다. 하지만 만약 협상 중 누군가가 갑자기 심장마비로 쓰러진다면 어떻게 될까? 누군가의 생명을 구하기 위해 협력하는 과정에서 신뢰가 없던 두 사람 사이에 놓인 불신은 의심할 여지 없이 사라지게 될 것이다. 과거든 현재든 두 부서 사이에서 상충하는 이해관계가 없을 때는 구성원들 사이에 개인적인 불신을 일으키는 요소는 없을 것이다. 당신이 처한 상황의 맥락과 가치관은 당신의 역할과 역할에 따른 행동을 결정한다.

이처럼 당신은 어떤 상황에서는 여성 근로자의 임금 차별 철폐와 같은 평등의 가치를 나타낼 수도 있고 다른 상황에서는 용기와 위험을 감수하는 가치를 나타내고 있을 수도 있다. 사람들은 조직의 다른 가치에 인간적인 형식을 부여한다. 도전 과제를 직면했을 때 당신과 같은 가치관을 가지고 있거나 같은 관점으로 바라보는 사람들은 한 분파를 이루게 된다. 이러한 분파는 매우 중요하다. 혼자서 적응적 변화를 시도하는 것은 상상할 수 없을 정도로 어렵기 때문이다. 또한 당신의 분파에 속한 각각의 사람들이 관계와 충성심, 정치적 자본을 가지고 있는 다른 파벌에 있는 사람들의 지지를 받아 진전을 이끌어낼 수도 있다.

발코니에서 바라보기

Q1 가족, 공동체, 회사, 부서, 팀 등 당신이 속한 모든 그룹을 생각해보라. 각각의 그룹에서 당신은 어떤 가치관을 가진 사람으로 보여지는가? 각기 다른 그룹에서 상반된 가치관을 보일 수도 있다. 예를 들어 어떤 사람들은 회사 업무를 할 때는 통제를 우선적인 가치로 두지만, 가정에서는 일이 벌어지는 대로 처리할 수도 있다.

각 그룹에서 자신이 어떤 가치관을 가진 사람으로 보여지는지 스스로 알기 어려울 수 있다. 하지만 자세히 들여다보면 단서를 찾을 수 있다. 예를 들어 회의가 과열될 때 종종 사람들이 당신에게 농담해 달라는 눈빛을 보내는 것을 알아챘다면, 당신이 대표하는 가치는 그룹의 갈등이 개인의 책임으로 넘어가는 것을 막고 더 가벼운 방법으로 갈등을 다루는 것임을 나타내는 것일 수 있다.

현장에서 적용하기

Q1 팀에서 어떤 문제를 해결하려고 할 때, 팀원들 각자가 평소에 하던 역할이 빠르게 드러난다. 이때 늘 해오던 역할을 맡기 전에, 각자가 고려하는 가치를 말하고 누가 그 분파에 소속되어 있는지 살펴보라.

그 후에 자신과 반대되는 가치를 선택하도록 하라. 이 활동의 목표는 팀원들이 기존 역할을 맡는 대신 각각의 가치를 거론하고 어떤 다른 사람이 그 분파에 속해 있는지 보는 것이다. 그리고 반대되는 가치를 가진 사람들을 초대하라. 이러한 행동의 목표는 평소 늘 해오던 대로 같은 역할을 맡는 것이 아니라 다른 가치와 관점을 가진 사람들을 참여시켜 문제를 해결하는 것이다.

어떤 역할을 맡고 있는가?

가족, 팀, 부서, 분파, 회사처럼 모든 종류의 그룹은 각 구성원에게 암시적인 역할을 맡겨서 명확성과 질서를 만들어낸다. 예를 들어 가정에서 갈등 상황이 생길 때마다 가족들은 당신에게 중재자의 역할을 맡아 문제를 해결하길 바랄 수 있고, 가족들에게 조언이 필요할 때는 상담자로, 누군가가 다쳤을 때는 간병인의 역할을 해주길 바랄 수 있다. 회계 감사관이 부사장으로 승진했다면 회사 내 조직원들이 수익에 대한 책임감을 느끼게 하는 역할을 맡을 수도 있다. 하지만 우리는 부여된 역할 이상의 일을 하는 존재다. 온전한 자유는 아니지만, 소임을 맡을지 결정하거나 맡은 역할을 어떻게 수행할지 고민할 수 있는 어느 정도의 자유가 있다.

때로는 부여된 역할에서 벗어나기 힘들 수도 있다. 아프리카계 미국인 바이런 러싱은 백인 중산층과 성소수자 인구가 대다수인 보스턴 사우스 엔드 지역에서 선출된 매사추세츠 주 의회 의원이었다. 그러나 러싱의 동료 의원들은 그에게 저임금주택 법안을 지지하고 혜택받지 못하는 사람들의 권리를 옹호할 것을 계속 요청했다. 러싱은 주 의회 의원이 되기 전 지역 활동가로 활동했었기 때문에 동료들은 러싱이 백인 중산층 성소수자를 대표하는 것보다는 이러한 권리 옹호의 역할을 맡는 것이 더 옳다고 생각했다. 이 역할을 두고 몇 달 동안 씨름한 후에 결국 러싱은 한발 뒤로 물러나 요청받은 역할을 수행하기로 선택했다. 사회보장법안을 논하는 토론에서 러싱은 마이크를 잡고 자신의 지역구의 인구 구성을 동료 의원들에게 상기시키는 것은 더는 의미가 없다며 백기를 들었고, 가난한 유색인종을 대변하는 역할을 받아들이기로 했다고 선언했다.

우리는 부여된 역할보다 더 많은 역할을 맡기도 한다. 러싱은 자신에게 부여된 역할도 수행했고 지역구의 최고 관심사인 동성애자 권리문제를 위해서도 계속 일했다. 당신도 아마 이런 경험을 해봤을 것이다. 당신은 엄격한 상사의 역할도 맡지만 동료가 개인적으로 힘든 시기를 보낼 때 모두가 찾는 사람일 수 있고, 워크숍에서는 오락을 담당하는 분위기 메이커일 수도 있다. 더 많은 역할을 수행해낼 수 있다면 당연히 더 효율적인 사람이 될 수 있다. 대역폭과 마찬가지로 여러 상황에서 꺼내 쓸 수 있는 폭넓은 레퍼토리를 가지면 예측하기 어려운 사람이 될 것이기 때문에 당신의 의견은 쉽게 무시되지 않을 것이다. 당신이 더 많은 역할을 맡을수록 더 많은 분파에 속하게 될 것이고, 당신이 어려운 문제들을 해결하려고 노력할 때 더 많은 사람과의 연결고리를 갖게 될 것이다.

〈그림4-3〉은 한 사람이 기본적으로 맡은 여러 역할의 예시를 표현한 그림이다. 당신이 어떤 역할을 맡고 있는지 생각해보라. 배우자, 연인, 직원, 상사, 부모, 자녀, 친구, 감독관, 용서하는 사람, 상담자, 상담받는 사람, 자원봉사자, 회원, 유권자, 또래, 경쟁자, 직장 동료, 판매원 등 다양한 역할이 있을 수 있다. 당신은 역할에 따라 다르게 행동할 것이다. 각각의 역할이 당신의 전부는 아니지만 모든 역할에서 나타나는 모습 또한 당신 자신이다. 원그래프에서 각 조각의 크기는 당신이 각 역할에 할애하는 시간의 비율을 나타낸다. 또한 각각의 역할을 수행함으로써 얻는 만족도를 원그래프로 그려보면 당신이 투자하는 시간과 만족도가 어떻게 상응하는지 알 수 있다.

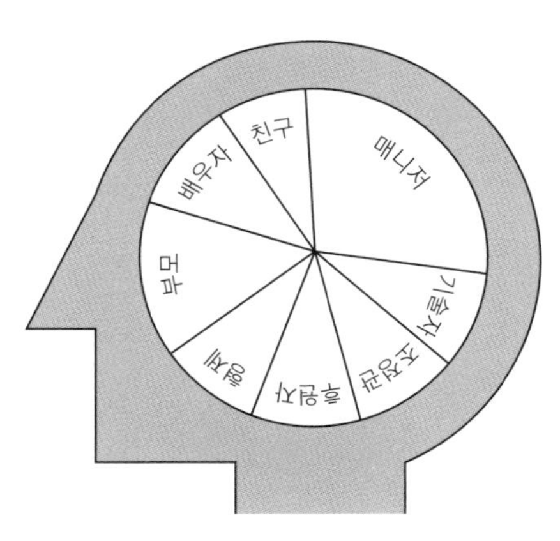

〈그림4-3〉 각 역할에 할애하는 시간 비율

당신에게 부여된 역할 중에는 당신이 맡을 수 있는 역할과 수행할 수 있지만 실제로는 하고 있지 않은 역할, 혹은 어떻게 수행하는지 배울 수 있는 역할이 있다. 여기서 핵심은 다른 상황과 맥락에서 효과적으로 리더십을 발휘하기 위해서 어떤 상황에 부딪히든지 자신에게 더 많은 선택지를 주는 것이며, 이를 통해 각기 다른 역할을 수행할 수 있도록 자신에게 결정권을 부여하는 것이다.

어떤 역할을 수행할 때 그 역할이 자신을 모두 대변하는 것은 아니다. 설령 내가 그렇게 느낀다 하더라도 말이다. 그 예로 많은 사람이 부모의 역할에 온 힘을 다하듯이 나의 역할에 마음과 영혼을 쏟아부을 수 있다. 하지만 그렇다 해도 그 역할 자체가 나 자신과 완전히 일치하지는 않는다. 역할은 나의 가족과 조직, 공동체가 더 나아지기를 바라는 마음으로 특정 순간에 하는 행동이다. 역할을 제대로 수행하지 못했다 할지라도 그 역할 안에서의 나의 행동이 성공적이지 못했던 것일 뿐 내가 실패한 것은 아니다.

이런 관점으로 역할을 바라보면, 어떤 역할을 제대로 수행하지 못할지라도 이를 개인적으로 받아들여 상처받지 않게 된다. 이것이 바람직한 태도다. 어떤 일을 개인적으로 받아들이면 당신의 모든 관심은 당신 내면으로 향한다. 나의 업무 역량에 대한 동료 직원의 공격을 개인적으로 받아들이는 경우처럼 말이다. 이럴 때 당신의 관심은 지금 당장 해결해야 하는 문제에서 멀어지고 문제를 해결할 기회는 줄어들고 말 것이다.

내가 맡은 역할과 자신을 구분할 때 반대자의 개인적 공격을 아무렇지 않게 넘길 수 있는 감정적 힘을 얻는다. 사람들은 특히 내가 전달하고자 하는 메시지에서 벗어나려고 개인적 공격을 하기도 한다. 만약 내가 어려운 의견이나 변화에 대한 계획을 내놓았을 때 다른 사람들이 내게 '너무 공격적'이라거나 '무신경하다'고 말한다면, 내가 맡은 '변화를 이끄는 사람'이라는 역할은 '한 인격체인 나 자신'과는 다르다는 것을 기억하길 바란다. 개인적인 공격처럼 느껴지더라도 그것은 한 인간으로서 당신의 성격이나 가치를 표현한 것이 아니라 당신을 조종하려는 전략이자 시도다. 그럴 때는 "물론 제가 좀 더 훌륭한 사람이었다면 좋았겠지요. 하지만 지금은 우리 앞에 놓인 문제에 집중해보면 어떨까요?"라고 말해보라.

내가 맡은 역할과 나 자신을 구분하는 것은 매우 중요하다. 그래야만 의도했든 아니든 내가 행동하지 못하게 만드는 사람들의 부적절한 칭찬과 아첨으로부터 자유로워질 수 있다. 앞서 언급했듯이 누군가 당신은 없어서는 안 될 존재라고 하거나, 회의에서 당신이 대단했다고 말하는 것은 부적절한 아첨이 시작됐다는 작은 경고일지도 모른다. 불필요한 칭찬은 개인적 공격만큼이나 주의를 분산시키는 강력한 힘이 있다. 그 칭찬은 다른 이의 더 나은 삶에 영향을 주는 내가 맡은 역할에 관한 것이지 한 인격체인 나를 향한 것이 아니라는 사실을 이해할 때 내가 무엇을 말하고자 하는지에 집중할 수 있다.

나를 향한 부적절한 칭찬과 아첨의 내용이 실제라고 주변 사람들이 믿기 시작하면, 즉 내가 없어서는 안 될 너무나 훌륭한 존재라고 사람들이 믿기 시작하면 당신은 큰 위험에 빠진 것이다. 매우 심지가 곧은 사람들도 이런 위험에 빠지기 쉽다. 이런 위험에 빠지지 않으려면 어떻게 해야 할까? 무엇보다 사람들이 내가 그런 훌륭한 사람이라고 믿고 싶은 이유가 자신들이 직면한 어려운 과제를 내게 떠넘기고 싶기 때문이라는 것을 기억해야 한다. 그들의 말에 숨겨진 의미는 그들이 할 수 없는 일을 나만이 할 수 있다는 것이다. 따라서 당신의 임무는 사람들이 새로운 시도와 해결책을 제안할 수 있는 책임감을 나누어 가지는 데에 집중하는 것이다. 어댑티브 리더십은 역량을 키우는 것이지 의존성을 늘리는 것이 아니다.

발코니에서 바라보기

Q1 그룹이나 조직에서 어떤 역할을 맡고 있는가? 어떻게 이 역할을 맡게 되었는가? 당신이 맡은 역할 대신에 혹은 그 역할을 포함해서 맡고 싶은 다른 역할들이 있는가? 역량이 충분해 맡을 수 있는 다른 역할은 무엇인가? 또 어떤 역할을 새롭게 배워야 하는가?

Q2 앞의 〈그림4-3〉과 같은 원그래프를 자신의 상황에 맞게 두 가지로 그려보라.
하나는 특정 그룹이나 개인 삶에서 맡은 역할과 각각의 역할에 당신이 사용하는 시간의 비율을 나타내보고, 다른 하나는 이 역할들에 대한 당신의 만족도를 표시해보라. 그런 다음 두 그래프를 비교하라.

현장에서 적용하기

Q1 조직이 당신에게 이미 부여한 역할 외에도 맡아야 할 역할이 있을지도 모른다. 조직이 발전하기 위해 어떤 역할이 부족한지 살펴보고 자신에게 그 역할을 부여하라. 옹호자, 중재자, 프로젝트 매니저 등이 있다.

당신이 맡고 있던 이전 역할은 꼭 필요한 것인가? 다른 사람에게 넘길 수 있는가? 혹은 당신의 새로운 역할과 병행할 수 있는지 생각해보라.

Q2 앞의 '발코니에서 바라보기'의 분석을 해보았다면 어떤 역할을 맡았을 때 가장 만족스러웠는지 살펴보라. 다른 상황에서 역할을 바꿔보면서 더 나은 결과나 만족감을 얻을 수 있는지 시도해보라.

권한의 범위를 확인하라

직장에서나 개인적으로나 혹은 시민으로 살아가며 수행하는 모든 역할에는 공식적 및 비공식적인 권한의 범위가 있다. 공식적 권한의 범위는 대개 상사로부터 위임받은 공식적 권한과 상사들이 당신이 해야 할 것으로 기대하는 일, 그리고 일을 처리하는 방식으로 구성되어 있다. 그리고 그 범위는 직무 기술서, 규정 및 규칙, 혹은 조직도 등에 명시되어 있을 것이다. 정치에서는 헌법이나 법률, 판례 등에 명시된다.

공식적 권한 위임자 외에 비공식적 권한 위임자도 존재한다. 이들은 조직 체계에서 같은 직급이나 아래에 있는 사람, 당신보다 높은 직급이지만 당신에 대한 공식적 권한을 가지지 않은 사람 혹은 조직 밖의 사람일 수 있다. 이들 모두는 어떤 식으로든 당신에게 자신의 기대가 충족되길 기대하는 사람들이거나 당신이 일을 완수하기 위해서 그들의 도움이 필요한 사람들일 수도 있다. 또한 부하직원은 자신의 상사에 대해 엄청난 비공식적 권한을 가질 수 있다. 극단적인 경우에는 많은 매니저가 그들의 부하직원으로 인해 해고되기도 한다. 예를 들어, 일을 적당히 한다거나 자신의 상사에 대한 험담을 해고 권한이 있는 더 높은 상사에게 하는 등 부하직원은 자신의 상사에 대해서는 공식적 권한이 없지만, 상사에게 불리한 환경과 여건을 조성할 힘이 있다.

비공식적 권한의 범위는 어디에도 분명하게 적혀 있지 않다. 그리고 공식적 권한의 범위도 비공식적 권한의 범위와 정확히 일치하지 않는다. 직무 기술서에 적힌 당신의 공식적 업무가 특정 변화를 만들어내는 것이라면, 개인적 관계 및 이전 업무 성과에서 비롯된 비공식적 권한은 직무 기술서에 적힌 것보다 더 큰 변화를 만들어낼 수도 있다. 권한의 범위를 알기 어려운 이유 중 하나는 그 한계가 불투명하고 항상 변하기 때문이다. 이것은 공식적 권한, 직무 기술서, 혹은 채용 시 들었던 이야기에서도 마찬가지다. 직무에 대한 설명을 듣고 입사를 했는데 설명과는 다른 내용을 알게 된 적이 있는가? 조직의 변화를 이끄는 역할로 채용되었는데 막상 조직에 들어와 보니 자신을 채용한 사람이 문제의 일부이며 그를 바꾸는 것은 직무 내용에 포함되지 않는다는 것을 깨닫게 되는 경우를 종종 보았다.

다양한 권한 위임자와 그들의 기대를 고려해보자. 우리가 가진 권한의 범위에 대해 다양한 집단이 서로 상충하는 의견을 가지고 있다면 조직 생활은 더욱 복잡해질 것이다. 당신의 역할에 대해 상사, 부하직원, 고객이 서로 다른 기대를 하고 있으면 상호 배타적인 기대에 직면하게 되고, 서로의 기대를 바꾸거나 어떤 위임자를 실망하게 할지 결정해야 한다. 〈그림4-4〉는 상충하는 권한의 개념을 보여준다.

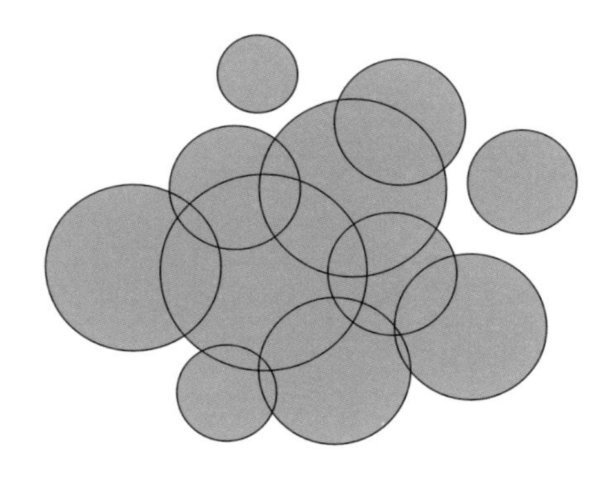

〈그림4-4〉 상호 배타적이면서도 겹치는 권한

각 원은 상호 배타적인 기대를 나타내며, 원이 겹치는 부분은 공유된 기대를 보여준다.

어떤 역할이든 비공식적 권한의 범위가 넓을수록 〈그림4-4〉의 원들이 겹칠 가능성이 커진다. 그럴 경우 목적을 달성할 가능성은 그만큼 커진다. 원들이 더 많이 겹칠수록 권한 위임자들을 실망하게 하지 않고 더 많은 재량권을 가질 수 있다. 비공식 권한을 늘릴 방법은 수없이 많다. 앞서 3.3장에서 언급했듯이 가장 일반적인 방법은 업무에서 실적을 쌓는 것, 상호 호혜적 관계를 맺는 것, 신뢰 형성, 호의와 지지를 베푸는 것 등을 들 수 있다.

권한의 범위를 진단함으로써 사람들의 기대를 판별하고, 권한에 대한 자신의 자원과 재량을 평가하며, 특정 상황에서 자신이 개입하는 것이 최선인지, 누구의 협조가 필요한지, 시기가 적절한지, 어떤 문제를 먼저 해결할지, 장애물은 어디에 있을지, 어떤 2 전략이 가장 성공적일지 등, 실질적이면서 중요한 질문에 답하는 데 도움을 얻을 수 있다. 로버트 모세스의 사례를 살펴보자. 그는 뉴욕시 공직에 60년 동안 재임하면서 공원, 교량, 도로를 잇는 거대 네트워크를 만들었다. 그는 몇몇 저택만 있던 롱아일랜드 부둣가를 공공 해수욕장으로 바꾸는 대규모 프로젝트부터 시작했다. 그 프로젝트로 집을 빼앗긴 몇몇 사람을 제외하고는 많은 사람에게 지지를 받았고, 프로젝트의 성공으로 모세스는 비공식적 권한을 크게 얻었다. 이후의 프로젝트들은 정치적인 난관이 많았지만, 이전의 성공에서 얻은 비공식적 권한이 없었더라면 추진하기 더 어려웠을 것이다.

권한이 주어진 환경을 진단하게 되면 비공식적 권한을 증진하는 데 중요한 아이디어를 얻을 수 있다. 예를 들어 회의를 주최하고 참석자를 결정할 권한이 있다면, 공식적 권한 범위 밖의 문제 해결에 도움 줄 수 있는 사람들을 전략적으로 선택하여 회의를 구성할 수 있다.

마지막으로, 권한의 범위를 이해함으로써 권위자를 대할 때 가질 수 있는 감정적 부담을 좀 더 쉽게 다룰 수 있다. 많은 사람이 그런 부담을 지고 있다. 당신이 스물다섯 살이나 서른 살이라면 권위자와의 긍정적인 경험과 부정적인 경험을 둘 다 가지고 있을 것이다. 언제나 열린 마음으로 대해줬던 선생님과 모욕감을 느끼게 해줬던 선생님, 최고의 기량을 끌어내 준 코치와 당신의 능력을 과소평가했던 코치, 잘하지 못해도 떠나지 않았던 멘토와 떠나버린 멘토 등 말이다.

권위자들에 대한 부정적인 과거 경험은 상처로 남아 현재의 권위자와의 관계에서 부정적인 영향을 미친다. 예를 들어 어떤 사람들은 만나는 모든 권위자에게 반감을 품기도 한다. 또는 권위자들에게 맞서 자기주장을 하지 못하기도 한다. 회사에 소속되기보다는 자영업을 택함으로써 아예 권위자 근처에 있기를 회피하는 사람도 있다.

자신의 권한 범위를 그려보면 권위자를 장애물이나 위협이 아닌 막중한 기대로 뒤섞인 복잡한 짐을 나르고 있는 큰 시스템 속의 일부로 볼 수 있다. 이 모든 복잡성 속에서 권위자들을 볼 때, 어쩌면 연민을 가지고 그들과 일하고 그들을 다루는 방식을 확대할 수 있다. 권위자들에 대한 반응이 반항, 굴복, 혹은 회피가 아니라 그들의 생각에 도전하고 협상을 하며 적응적 변화를 이루기 위해 그들의 힘을 활용할 수 있다.

발코니에서 바라보기

Q1 다음의 〈표4-2〉를 이용해 직장에서 당신에게 권한을 위임한 사람들을 적어보라. 나열된 권한 위임자에게서 받은 공식적 권한과 비공식적 권한을 표에 각각 적어보라. 권한의 잠재적 경계선이 무엇인지 적어보라. 다시 말해, 그들이 당신에게 갖는 기대 범위를 넘어선다고 생각되는 것 중에서 당신이 관심을 두고 하려는 것은 무엇인가?

당신에게 주어진 권한의 한계를 나타내는 신호가 될 수 있는 것으로 당신의 역할에서 수동적이든 능동적이든 저항에 부딪힌 적이 있는지 확인해보라.

Q2 권위자에 대해 과거에 가졌던 부정적 경험을 열거하라. 그런 경험이 권위자들을 대하는 방식에 어떤 영향을 주었는가? 당신은 지금 권위자들을 어떻게 대하고 있는가? 반기를 드는가? 요구에 순응하는가? 권위자를 대하는 방식이 조직이 필요한 변화를 끌어내는 당신의 능력에 어떤 영향을 주는가?

1	2	3	4	5
권한위임자	공식적 권한	비공식적 권한	권한의 잠재적 경계선	권한의 한계에 대한 신호
상사				
동료*				
부하직원				
배우자				
외부 이해관계자 (고객 및 공급사)				
친구				
기타				

〈표4-2〉 권한위임표 * 다른 부서 및 분파에 속한 동료로부터 오는 권한의 범위는 다양할 수 있다.

현장에서 적용하기

Q1 당신이 조직이나 공동체 내에서 반항, 굴복, 회피와 같은 비생산적인 방식으로 대했던 권위자 한 사람을 선택하라. 그리고 다음번에 그 사람을 만날 때 새로운 방식으로 대하는 연습을 해보라. 예를 들어, 그 권위자가 가정하는 당신의 역할에 대해 이의를 제기해보는 것이다. 이때 반항적인 태도보다는 당신이 권위자로부터 받아온 혼란스러운 메시지나 이에 대해 당신이 이전에 보였던 비생산적인 반응 등의 내용을 결부 시켜 그 사람을 존중하는 자세로 대화를 나눠보라.

4.6

자신의 목적을 분명히 하라

Articulate Your Purpose

당신이 정말로 사랑하는 것의 강한 끌림에

당신을 조용히 잠겨 들게 하라.

— 루미RUMI / 시인

어댑티브 챌린지를 받아들이는 것은 어렵고 위험한 일이다. 당신이 이 일을 하고자 하는 단 한 가지 이유는 중요하다고 생각하는 목적에 집중하기 위해서일 것이다. 자신을 시스템으로 이해하는 데 있어 중요한 요소는 지향하는 상위 목적을 확인하는 것, 즉 자신을 위험에 빠뜨리게 할 정도로 중요한 것이 무엇인지 이해하는 것이다. 자신이 지향하는 목적을 이해한다면 매일의 일상적인 결정을 더 큰 맥락에서 이해하며 할 수 있고, 다른 중요한 목적을 더 큰 목적 아래 종속시키는 어려운 결정을 내릴 수 있다. 상황이 어려워질 때 당신이 지향하는 목적은 자신은 물론 다른 사람들에게 변화를 추구하는 이유에 대해 상기시킨다. 다음의 사례를 살펴보자.

목적에 집중하기

한 엔지니어링 공공 기관에서 곧 최고 경영자가 될 예정인 공학도 출신의 최고 운영책임자가 있었다. 그는 매일 발생하는 위기 상황을 처리하는 데 급급하여 정작 자신이 이끌고자 했던 도전적인 변화를 시도하지 못하고 있었다. 그는 사람들의 문제를 해결하는 것을 좋아했으나, 자신이 이런 문제 해결에만 시간을 쏟는다면 회사에 진정으로 필요한 변화는 일어나지 않으리라는 것을 알고 있었다. 그는 자신의 목표를 매일 상기할 필요성을 느꼈다. 그의 목표는 전통적인 엔지니어링 회사를 고객에게 적극적으로 협력하고 전념하는 하나의 회사로 변신시켜 지속 가능한 구조를 갖게 하는 것이었다. 그의 회사는 기존에는 규율 중심적인 조직과 여러 독립 사무소를 산하에 둔 조직이었지만, 여러 부서가 대규모 엔지니어링 프로젝트에 대응할 수 있는 구조를 갖추고자 했다.

그는 회사를 위해 자신이 할 수 있는 최선의 일은 동료와 부하직원들 사이에서 적당한 긴장을 유지하되 미래의 회사를 위해 그들이 해야 할 일에 대해 생각하는 바를 반영하고, 조직 구성원의 바람과 조직 현실의 차이에 대해 계속 상기시키는 약간 성가신 존재가 되는 것으로 생각했다. 이를 실현하기 위해 그는 자신에게 새롭고 불편한 방식을 작동시켜야 했다. 그는 집중력을 흐트러뜨리는 매일의 업무를 처리하기보다는 직원들이 지속해서 불안정한 상태에 머물도록 했다.

그는 자신의 목적을 상기시킬 수 있는 자원이란 자원을 모두 동원했다. 조직에 일어나는 변화를 전담하는 직원을 임명하여 매일 보고를 받았고, 고문을 선임하였으며, 시간을 내 독서와 명상을 했다. 또한, 매일 일어나는 문제들을 적절한 상황에서만 다루고, 이러한 문제들로 인해 집중이 분산되지 않도록 선을 그었다. 이렇게 일하기는 쉽지 않았다. 그는 매일의 문제에 푹 몰입하는 것을 즐기고 능숙하게 처리했으며, 직원들 또한 이러한 그의 역할을 좋아했기 때문이다.

목적은 시간을 어떻게 분배할지 도와준다. 하루를 마치고 난 후, 자신에게 이렇게 물어보자. '나는 오늘 목적을 달성하기 위해 무엇을 했는가?' 이 질문에 비교적 쉽게 대답할 수 있기를 바란다. 하지만 목적은 고정되어 있지 않고 상황에 따라 변할 수 있다. 예를 들면, 자신과 가족의 삶을 돌아보기 위해 업무적인 면에서 위험을 감수해야 할 때도 있고, 최우선으로 해야 할 업무를 처리하기 위해 인간관계를 잠시 우선순위에서 제쳐두기로 할 때도 있다.

특정한 순간에 자신이 어떤 목적을 지향하는지 어떻게 알 수 있을까? 다시 말하지만, 유용한 전략 중 하나는 어떤 말을 하는지

듣기보다 어떤 행동을 하는지 관찰하는 것이다. 최근에 내린 중대한 결정뿐 아니라 일상의 사소한 결정을 생각해보자. 여러 차례 반복되는 일정한 패턴이 보일 것이다. 간단한 예로, 휴가 동안 얼마나 자주 이메일을 확인하고 업무 전화를 받았는가? 스스로 정한 휴가의 목적이 일에서 벗어나 푹 쉬어보자는 것이었음에도 말이다.

행동은 실제적인 목적을 비춘다. 생각하는 목적과 행동에서 나타나는 목적 사이에 차이가 있다면, 그로 인해 거북한 불일치를 경험하게 될지도 모른다. 만일 그렇다면 이러한 불편한 상황에 충분히 시간을 두고 머무르며 당신에 대해 곰곰이 생각해보라. 당신은 우선순위를 명확히 하고, 바꾸고, 받아들일 수 있으며 내적 갈등을 덜 겪을 것이다. 그런 다음에야 당신의 지향하는 목적을 한 문장으로 적을 수 있다. 어떤 사람은 자기 자신부터 친구나 사랑하는 사람들에게, 또는 회의나 연설에서 공개적으로 큰 소리로 말하는 것이 도움 될 수 있다. 또 어떤 이들은 자신의 목적을 상기시키는 상징이나 표식을 만들기도 한다. 표지판이나 그림, 작은 조각상 등을 책상 위에 올려놓기도 하고, 문구가 적힌 카드를 지갑에 넣고 다니거나, 경구나 노래, 시 등을 늘 외우고 다닐 수도 있다. 정신없는 일상을 살아가다 보면 당신의 삶이 무엇을 위한 것인지 알아가는 것을 회피하거나 쉽게 잊어버리기 때문에 이러한 상징들이 도움 될 수 있다.

목적은 일반적인 것부터 구체적인 것까지 설정될 수 있으며, 다양한 수준의 추상적인 개념으로 설명할 수 있다. 이를 통해 당신의 일상적인 활동들과 당신을 움직이게 만드는 목적 사이에 어떠한 관계가 있는지 확인할 수 있다. 한편, 당신이 매일 하고 있는 일들이 더 높은 차원의 목적과 아무런 연관이 없다고 느낀다면 지금 하고 있는 일이 어떤 가치가 있는지 재고할 필요가 있다.

그렇지만 전반적인 방향을 설정하기 전에라도 조직 내에서 목적의식을 좀 더 높일 수 있는 방법이 있다. 한 예로, 매출 증가를 논의하는 회의에 당신이 참석했는데, 얼마나 자주 현장 워크숍을 열어야 하는지 구체적인 논의로 방향이 흘러가고 있다고 해보자. 당신은 "우리가 회의에서 얻고자 하는 것이 무엇입니까?"라는 간단한 질문으로 회의를 바로잡고, 회의의 목적에 사람들을 다시 집중시킬 수 있다. 당신이 이 질문에 답을 할 필요는 없다. 이 질문 자체가 중요하다.

목적의식은 당신을 한 발짝 물러나 특정한 임무나 전략, 목표와 업무를 자세히 살펴보고 "우리는 정말 이것을 위해 존재하는 것이 확실한가? 우리는 이것을 정말 하고 싶은가? 이것이 우리가 되고자 하는 바인가?"라는 질문을 던지게 하므로 특별하게 정의된 어느 목적보다 귀중하다.

'세계의 빈곤 종식' 또는 '세계 최고의 회계 법인이 되는 것'과 같이 추상적인 목적은 전략을 평가하는 방법이 될 수 있지만, 전략을 훌륭하게 실행할 수 있는 방법론을 제시하지는 못한다. 세계의 빈곤을 끝내고 세계 최고의 회계 법인이 되는 데는 많은 방법이 있지만, 당신이 그 목적을 구체적인 용어로 표현하고자 한다면 갈등에 직면하고 많은 반발이 생길 것이다. 우리의 의뢰인이었던 한 글로벌 회계 법인에서는 최고 경영자가 '최고가 되자'라는 신조에 대해 그것이 고객과 깊은 관계를 맺는 것이라 의미를 부여하기 시작하면서부터 조직 내 긴장감이 돌기 시작했다. 기술적 역량을 활용해 성장을 이끌고자 했던 사람들에게는 그러한 목적이 갑작스러운 위협으로 느껴질 수 있다.

당신이 방향을 정의하고자 할 때 조직의 가치와 사명과 같은 상위개념에서부터 일상적 업무와 운영 방식에 이르기까지 추상적인 개념의 여러 수준을 오르내리며 조직의 일관성을 파악해야 한다. 그런 후에야 그 안에서 당신의 위치를 찾아 자신의 역할이 타당한지 확인할 수 있다. 추상적 개념의 상위 단계에서 회계 법인 직원들은 '세계 최고의 회사'가 된다는 것은 고객이 가치 있다고 여기는 서비스를 제공하는 것으로 생각할 수 있다. 한 단계 덜 추상적인 단계로 내려가면 그 목적은 더욱 전략적으로 정의된다. 이를테면, 다음과 같은 것이다. '변화무쌍하고 어려운 시장 환경을 고려했을 때, 우리는 단지 업체에 상품을 납품하는 공급자가 아니라, 고객의 가장 복잡한 재정적 도전 과제에 신뢰받는 자문을 제공하는 회사로 발돋움해야 한다. 그러므로 고객과 더 깊은 유대 관계를 맺어야 할 필요가 있다' 이 수준에서는 회사의 전 직원들이 그들이 매일 어떤 일을 하고, 그 일이 목적에 어떻게 기여하는지 평가할 수 있다.

어댑티브 리더십 연습의 핵심은 야망을 넘어 당신의 삶에 의미를 부여하는 데 있다. 목적을 가지면, 목적이 의미하는 바에 초점을 맞추게 된다. 그 의미를 발현하고, 실천으로 옮기고, 삶으로 보여주기 위해서는 두 가지 어려운 진단 단계가 필요하다.

첫째, 어댑티브 리더십을 실천하는 데 집중하기 위해서는 당신이 가진 여러 목적 가운데서 우선순위를 확실히 하는 작업이 매우 중요하다. 대다수 사람은 여러 가지 중요한 목적을 가지고 있기 때문이다. 우선순위를 확실히 한다는 것은 당신이 좀 더 중요하게 생각하는 목적을 잠깐만이라도 다른 목적보다 더 우선시하는 것이다. 물론 이것은 쉬운 일이 아니다.

둘째, 어댑티브 리더십을 실천할 때 실수를 최소화하기 위해서는 자신에 대한 올바른 진단이 필요하다. 사람들은 현실을 이해하고 판단할 때, 자신이 누구이고 왜 이런 상황이 발생했는지에 대해 설명하는 이야기를 만들어낸다. 문제는 이렇게 구성한 이야기를 가정이 아닌 사실로 간주한다는 것이다. 우리는 자신에 대한 이야기를 좀 더 객관적으로 구성해야 하고, 이 이야기를 사실이 아닌 검증이 필요한 가설로 여기는 태도가 필요하다.

발코니에서 바라보기

Q1 당신 주변에서 자신이 지향하는 목적이 무엇인지를 늘 의식하고 매일의 행동과 선택에서 이를 지키고자 하는 사람이 누구인지 생각해보라. 무엇이 그 사람들로 하여금 자신의 목적에 깨어 있고 충실하도록 만드는가? 그들이 당신에게 미치는 영향은 무엇인가? 그들이 다른 사람에게는 어떤 영향력을 끼치고 있는가?

Q2 당신에게 가장 중요한 목적의식을 가장 잘 나타내는 한 문장을 적어보라. 당신은 무엇을 하기 위해 태어났는가? 무엇이 당신에게 더할 나위 없는 즐거움과 의미를 주는가? 가슴이 벅차오를 때까지 마음이 움직일 때까지 그 문장을 계속 다시 써보라.

Q3 조직의 어댑티브 챌린지를 해결하기 위해 주도하고 있는 실행안을 생각해보라. 당신이 리더십을 발휘하도록 이끈 목적을 문장으로 써보라.

현장에서 적용하기

Q1 친구들과 사랑하는 사람들, 원한다면 동료들에게도 어떤 목적이 당신을 움직이게 하는지 알려라. 다른 사람들과 목적을 공유하면 좋은 일은 같이 축하하고 어려운 일을 함께 견뎌내는 지지를 모든 사람으로부터 받을 수 있다.

목적의 우선순위를 정하라

당신은 중요도가 높은 목적을 여러 개 갖고 있을 것이고, 그 모든 목적을 언제나 똑같이 중요하게 생각한다고 믿고 싶을 수 있다. 하지만 충성심과 마찬가지로 모든 목적은 동일하게 생겨나지 않는다. 어떤 목적은 특정 순간에 다른 목적보다 더 중요하게 다가오며, 여러 목적의 우선순위를 매기는 노력을 하고자 할 것이다.

여러 목적 중 하나를 위해 위험을 감수하는 것은 적어도 그 순간에는 다른 목적들이 덜 중요했다는 것을 말한다. 마티의 아들 맥스는 서부 지역에 살던 여자 친구와 함께 지내기 위해 좋은 직장을 그만두었지만, 서부 지역에서는 맥스가 원하는 직장을 바로 찾을 수 없었다. 하지만 그 이후 맥스가 동부 지역의 직장에서 굉장한 스카우트 제안을 받게 되자 맥스의 여자 친구는 자신이 좋아하던 교사를 그만두고 맥스와 함께 동부로 돌아왔다. 대부분 이런 결정적인 순간들을 경험해보았을 것이다. 여러 중요한 목적 중에서 무언가를 선택하는 데는 고통이 따른다. 더 중요하다고 생각하는 것을 위해 다른 중요한 것을 잃는 데서 오는 고통 말이다.

목적은 직장 생활을 하는 중에도 서로 충돌할 수 있다. 예를 들어, 호감을 사느냐와 존경을 받느냐 같은 중요한 두 목적 사이에서 선택해야 하는 순간이 있을지도 모른다. 어떤 결정을 내렸든 당신은 그 대가를 치렀을 것이다. 마티는 1970년대 보스턴에서 주간신문의 편집장을 맡았을 때 힘든 시간을 겪었다. 신문사 기자들은 당시 매우 유명했던 부동산 개발업자의 활동과 계획에 매우 비판적이었는데, 공교롭게도 그 개발업자는 마티의 친한 친구 중 한 명이었다.

기자들은 마티의 친구인 개발업자에 대한 부정적인 기사를 계속 썼고, 개발업자 친구는 마티에게 신문 기사와 우정 사이에서 하나를 선택하라고 계속해서 말했다. 마티에게는 두 가지 모두 다 중요했기에 그중 하나를 선택하는 것은 힘든 일이었다. 그는 부정적인 논조를 누그러뜨리려 기사를 편집하기 시작했는데, 결국 이 일은 마티가 다니는 신문사의 명성에 흠을 냈으며 우정 또한 잃고 말았다. 선택이란 매우 고통스러운 일이며, 둘 중 한 가지를 포기해야 하는 행동이다. 하지만 선택을 하지 않으면 둘 다 잃게 된다. 아래의 사례를 살펴보자.

상충하는 목적들 — 글로벌 로펌

대형 글로벌 로펌에서 수장을 맡으며 승승장구하던 한 변호사는 회사의 미래에 기여할 수 있는 여러 개의 각기 다른 목적에 열정이 있었다. 그 목적들은 첫째, 다음 세대의 변호사들을 선정하고 훈련해 그의 부서가 세계 최고가 되도록 하는 것, 둘째, 개인 업무보다 협업하는 변호사들에게 적절한 보상을 주어 업무 생산성을 높이는 것, 셋째, 급속도로 변화하고 경쟁이 치열해지는 환경 속에서 로펌이 살아남기 위해 경영 문화와 보상 체계를 도입하여 이를 극복하리라는 것을 파트너들에게 보여주는 것이었다.

이 세 가지 목적들은 서로 관련이 있었지만 모든 목적을 추구하는 것은 회사에 깊게 뿌리내린 각기 다른 가치들과 상충했다. 예를 들어, 회사는 직원들을 성장시키기보다는 적자생존의 법칙을 표방하는 자율성에 높은 가치를 두고 있었고, 부서 간 협업은 매우 드물었다. 세 가지 목적들을 모두 똑같이 추구할 경우 이 변호사는 회사의 가치와 상충하는 목적들을 반대하는 사람들과 부딪힐 수 있었고, 결국 이 세 가지 목적들도 무산될 위험에 처할 수 있었다. 그래서 세 가지 목적 중 하나인 '분야에서 최고의 부서가 되기'를 최우선순위에 두기로 했다. 어려운 결정이었지만, 일단 결정을 내리고 나서야 그는 세 가지를 동시에 추구했다면 얻지 못했을 진전을 이룰 수 있었다.

발코니에서 바라보기

아래 방식은 그룹 단위에서 자주 쓰이는 연습으로 각 활동을 혼자서 혹은 부서와 함께할 수 있다. 자신이 가질 수 있는 모든 목적을 가지고 다음을 분석해보라. 업무에서의 성공, 가족, 종교적 추구, 지구 온난화 방지, 재정적 성공 등이 목적의 예가 될 수 있다.

Q1 자신에게 가장 와닿는 열 가지 목적을 작성해보라.

Q2 목록을 작성한 이후에는 우선순위에 맞춰 중요한 것에서부터 덜 중요한 순서로 1위에서 10위를 다시 매겨보라.

Q3 5위 목적과 6위 목적 사이에 선을 그어라. 경험상 대부분 사람은 상위 몇 개의 목적만을 위해 행동한다. 상위 다섯 개와 하위 다섯 개의 목적을 구분할 때 어떤 해석이 가능한지 살펴보라.

Q4 각 항목 옆에 지난 3주 동안 그 항목을 위해 무엇을 했는지 적어보라. 그 목적을 위해 적극적으로proactively 행동했던 것 옆에는 P, 수동적으로reactively 대응했던 것은 R이라고

적어보라.

Q5 마지막으로, 이전에는 할 수 없었거나 할 생각이 없었지만, 각각의 목적을 위해 당신이 할 수 있었던 몇 가지 일을 적어보라.

Q6 수집된 모든 데이터를 보고 다음 3주 동안 기꺼이 시도해볼 만한 것을 생각해보라.

현장에서 적용하기

Q1 조직은 목적과 성공에 대한 여러 가지 다양한 정의를 가지고 있다. 따라서 지향하는 목적과 이에 따르는 성공의 기준을 분명하게 하는 것이 중요하다. 팀과 함께 각자가 일하고 있는 서로 다른 목적들에 대해 목록을 작성해보라. 목록에서 최우선이 될 목적 두세 개를 선택하고 성공 여부를 어떻게 판단할지 결정하라. 언급된 다른 목적들로 인해 손해를 볼 사람도 있다는 것을 잊지 말라.

자신에게 들려주는 이야기

여기서 이야기란, 자기 자신에게 그리고 다른 사람에게 상황이 왜 그렇게 되었는지, 그 의미가 무엇인지 전달하기 위해 하는 설명을 말한다. 예를 들어, 어느 회사의 소프트웨어 개발 프로젝트를 담당하고 있던 한 국장은 회의에서 자신이 수개월 동안 작업해왔던 계획이 갑자기 보류되었다는 사실을 알게 되었다. 그는 이 일이 그의 계획이 성공했을 때 얻게 될 명성을 질투하는 일부 동료들 때문에 보류된 것이라고 스스로에게 말했다. 그러나 이야기를 하면서 그는 자신의 해석을 뒷받침하는 몇 가지 세부 사항만을 선택하고, 그 이야기를 뒷받침하지 않는 세부 사항들은 포함하지 않았다. 그가 계획을 구체화하고 승인 절차를 밟는 동안, 회사가 긴축 재정에 들어가게 되었고 회사 내에 위험 요소를 꺼리는 분위기가 형성되었다는 등과 같은 사항 말이다.

사람들이 만드는 이야기는 많은 정보를 적당한 수준으로 줄이고 그것으로부터 의미를 찾게 돕는다. 우리는 현실 속에 사는 것이 아니라 현실에 대해 우리가 말하는 이야기 속에 살고 있다. 자신의 이야기를 동료, 가족, 공동체에 말함으로써 자신의 행동이 합리적이고 인상적으로 보이게 할 수 있다. 적어도 상황과 그 속에서 자신의 역할에 대한 합리적인 설명을 제공할 수 있다.

이야기는 항상 객관적인 현실과 어느 정도 관계가 있으며 논쟁의 여지가 없는 사실을 담고 있다. 하지만 세상에 대한 자신의 가설에 근거한 주관적인 해석이기도 하다. 어떤 세부 사항은 포함하고 어떤 것은 제외하거나, 혹은 세부 사항에 의미를 부여할 수 있기 때문이다. 따라서 그것은 해석에 가깝고 현실에 대한 가능한 해석 중 하나일 뿐이다.

이야기에는 상당히 많은 주관적 요소들이 있음으로 조직의 변화를 이끄는 데 방해가 될 수 있다. 그것은 완전히 잘못된 이야기일 수 있다. 다른 사람들이 말하는 이야기와 매우 다를 수 있다. '이전에 성공했기 때문에 이번에도 성공적일 것'이라는 가설로 어제의 성공 전략에 과도하게 의존할 수 있다. 실행안을 실제로 시도해보지 않고 조직의 가치 및 기존 업무 방식과 다르다고 말해버리면 변화를 위한 가치 있는 계획을 알아보지 못할 수 있다.

효과적으로 리더십을 발휘하기 위해서는 자신의 이야기를 명확히 한 다음, 이야기의 바탕에 있는 가설들을 현실에서 시험해보아야 한다. 현재 상황에 대해 어떤 다른 설명이 가능한가? 당신의 설명은 당신의 욕구와 어떻게 부합하는가? 어떻게 이야기 속 가설들을 시험하고 수정한 다음 자신에게 다른 이야기를 들려줄

것인가? 자신의 이야기 속 기본적 가설들을 검토하고 수정하는 연습을 충분히 할 때, 주변의 역학 관계와 사건에 대해 다양한 해석을 더 열린 자세로 대하고, 결과적으로 행동의 선택 범위는 더 넓어질 수 있다.

어려운 상황을 합리화하는 설명 이상의 이야기를 만들어낼 수 있다는 것 또한 중요하다. 이야기는 당신이 지지하는 가치를 드러내기 때문에 더 강력하고 정직하게 말할 수 있다. 이야기는 현실에 더 충분히 직면하고 새로운 역량을 개발하기 위해 재정립해야 할 충성심이 무엇인지 알려주며, 어댑티브 챌린지를 위해 당신이 취해야 할 행동의 방향을 제시하는 나침반 역할을 한다.

발코니에서 바라보기

Q1 특정 상황에서 항상 하는 일반적 이야기 대신 다양한 이야기를 하기 위해서는 연습이 필요하다. 자신이 왜 지금의 직업을 갖게 되었는지 설명하기 위해 열 가지의 다른 해석이나 이야기를 해보라.

나는 용감했고 다른 사람들은 그렇지 않았다는 식의 뻔하고 고상한 해석은 하지 마라. 각각은 진실을 일부 담고 있을 수 있다. 다른 사람들에게 알리고 싶지 않은 이야기들도 포함해라. 예를 들어 "현재의 직업이 좋지는 않지만, 여기를 떠나서 다른 직장을 찾기가 두려워 다니고 있다"는 이야기일 수도 있다.

현장에서 적용하기

Q1 새로운 방식으로 이야기하는 연습을 해볼 수 있는 또 다른 방법이 있다. 그룹이나 조직이 현재 맞닥뜨린 어댑티브 챌린지와 그 과업에 대응하기 위해 당신이 하고자 하는 실행안을 생각해보라. 그 과제와 제시한 실행안을 다른 방식으로 이야기하는 연습을 해보라. 당신이 정말 중요하게 생각해서 어떠한 위험을 무릅쓴다 해도 목적을 분명히 설명하는 것부터 시작하라. 그리고 당신이 지지하는 개입 안을 결정하게 된 가설들에 관해 설명해보라.

예를 들어 당신의 계획이 고객을 완전히 새로운 방식으로 세분화하는 것이라면 다음과 같은 가설이 포함될 수 있다. '소비자 선호도가 새로운 방식으로 변화하고 있고 우리의 고객 세분화는 이를 반영할 필요가 있다' 이제 다른 사람들의 관점에서 이야기해보라. 상사는 어떻게 이야기를 할까? 부하직원은? 동료는? 당신의 계획을 좋아하지 않는 사람은? 이야기가 이런저런 방식으로 바뀌면 당신으로 인해 누가 실망하게 될지 생각해보라. 어떤 이야기가 구성원들로부터 배신이라는 비난을 받게 될까?

Q2 관찰, 해석, 행동이라는 틀을 사용해서 이야기의 시작으로 거슬러 올라가 보자.

행동 : 당신이 취한 행동을 생각해보라.

해석: 왜 그 행동이 맞았다고 생각했는지 자신에게 물어보라.

관찰 : 그리고 그 해석을 뒷받침하기 때문에 당신이 선택한 정보를 살펴보라. 선택된 정보에서 빠졌지만 실제로는 관련이 있을 수도 있는 정보가 있는지 찾아보라. 거기서부터 출발하여 상황을 설명해줄 새로운 이야기나 해석을 만들어보라. 이 새로운 이야기들로 당신은 어떤 새로운 행동을 할 수 있는가?

용어 해설

개입 intervention
변화적 과제 해결을 위해 사람들을 움직이는 일련의 행동들 또는 특정 행동을 뜻한다. 의도적으로 아무 행동을 하지 않는 행위도 개입으로 간주한다.

공식적 권한 formal authority
조직에서 기대하는 업무를 달성하도록 부여된 명확한 권력으로, 직무 기술서에 혹은 법적으로 명시되어 있다.

관찰 observation
객관적인 관점을 유지하면서 가능한 많은 정보원을 통해 관련 자료들을 모으는 것이다.

권한 authority
조직에서 업무 수행에 대한 대가로 위임된 공식적 또는 비공식적 권력이다. 권한을 가진 사람들은 다음과 같은 기본적인 업무 또는 사회적 기능을 수행한다. ① 방향 설정 ②보호 ③질서 유지

권한의 범위 scope of authority
타인에게서 권한을 위임받은 사람이 제한된 권력을 가지고 할 수 있는 일련의 업무들을 말한다.

기술적 문제 technical problem
일반적으로 이미 알려진 방법과 절차들을 적용하여 진단하고 단기간에 해결할 수 있는 문제를 말한다. 기술적 문제들은 권위 있는 전문 지식이나 통상적인 해결 과정을 적용하여 해결할 수 있다.

대역폭 bandwidth
자신이 편안하다고 느끼고 충분히 해낼 수 있다고 생각하는 역량의 범위를 말한다.

동인 tuning
개인의 개별적인 심리적 특징으로 세계관과 정체성의 기반이 되는 충성심, 가치, 관점 등을 포함한다. 이런 개인의 특징은 외부 자극에 대해 의식적 혹은 무의식적, 생산적 혹은 비생산적인 반응을 일으킨다.

마음 below the neck
인간의 비지성적 능력으로 정서적, 영적, 본능적, 반사적 운동 능력 등을 포함한다.

목적 purpose
조직 및 정치 영역의 활동들에 의미 있는 지향점을 제공하는 중요한 방향을 일컫는다.

물 나르기 carrying water
다른 사람의 일을 대신해서 하는 것을 말한다.

발코니에서 바라보기
getting on the balcony

거리를 두고 바라보는 것을 말한다. 문제가 소용돌이치는 무도회장에서 벗어나는 정신적 행동으로 자기 자신과 전반적인 시스템을 관찰하고 관점을 얻기 위한 것이다. 무도회장에서는 보이지 않는 유형들을 볼 수 있다.

변화 적응 adaptation
변화에 성공적으로 적응하게 되면 생물 유기체는 새롭고 도전적인 환경에서도 번성할 수 있다. 변화 적응 과정은 보수적이면서 진보적이라 할 수 있는데, 이는 과거의 전통, 정체성, 역사로부터 최선의 것을 취하여 미래로 나아가기 때문이다.

분파 faction
조직 내 나뉘어 있는 그룹으로 ①관습, 권력관계, 충성심 및 이해관계에 의해 같은 관점을 가지고, ②상황을 분석하는 자신들만의 방식과 자신들에게 유리하게 이해관계, 문제, 해결책을 정의하는 내적 논리 체계를 가지고 있다.

불안정 상태 disequilibrium
변화적 과제로 인한 긴박함, 갈등, 불협화음, 긴장의 정도가 증가하면서 조직 안정성의 부재 상태를 일컫는다.

비공식적 권한 informal authority
어떤 역할을 기대하며 암묵적으로 위임한 권력을 뜻한다. 예의범절과 같은 문화적 규범을 나타내거나 특정 사회적 움직임에 대한 열망을 대표하도록 도덕적 권위를 부여하는 방식으로 사용되기도 한다.

선조 ancestor
한 사람의 정체성을 형성하는 데 영향을 미친 이전 세대의 가족 또는 공동체 구성원을 일컫는다.

압력솥 pressure cooker
변화 적응 과정에서 생기는 불안정 상태를 충분히 견디도록 안아주는 환경을 말한다.

역량 목록 repertoire
개인의 역량 범위로 편안함을 느끼고 충분히 활용할 수 있는 기술들의 범위이다.

어댑티브 리더십 adaptive leadership
변화 적응적 과업을 위해 사람들을 행동하게 하는 활동이다.

어댑티브 챌린지 adaptive challenge
번성을 위해 사람들이 추구하는 가치와 그 가치를 실현할 역량 부족으로 직면한 현실 사이의 격차를 말한다.

역할 role

사회 시스템에 존재하는 일종의 기대로, 개인 및 집단이 마땅히 해야 한다고 여겨지는 일들을 정의한다.

욕구 hunger

인간은 일반적으로 ①권력 및 통제 ②지지와 인정 ③친밀감과 즐거움을 성취하고자 한다.

진전 progress

급격하게 변하는 환경에서 사회적 시스템들이 성공적으로 번성하도록 새로운 역량을 개발하는 것이다. 집단, 공동체, 조직, 국가 및 세계의 상태가 개선되도록 이끄는 사회적, 정치적 학습 과정을 의미한다.

집중 attention

리더십의 핵심적인 자원이다. 계속되는 불안정한 시기 동안 변화적 과제에서 진전을 이루기 위해서 리더는 까다로운 질문들을 통해 사람들의 참여를 유지할 수 있어야 한다.

파트너 partners

협력자가 되어주는 개인이나 그룹으로 믿을 만한 사람을 포함한다. '협력자ally' '믿을 만한 사람confidant'을 참조하고 둘 사이의 차이점을 확인하라.

해석 interpretation

상황을 이해하는 데 도움이 되도록 행동 유형들을 파악하는 것을 말한다. 해석이란 이해하기 쉬운 사고방식과 이야기 구조를 적용하여 가공되지 않은 상태의 정보들을 설명해가는 과정이다. 많은 상황에서 다양한 해석이 가능하다.

협력자 ally

공동체 내에서 특정 이슈에 대해 같은 입장을 가진 조직원을 일컫는다.

Adaptive Leadership
어댑티브 리더십
4부 내면의 현 - 나를 들여다보라

초판 1쇄 발행 2017.07.15
개정판 1쇄 발행 2022.08.25

지은이 로널드 A. 하이페츠, 알렉산더 그래쇼, 마티 린스키
옮긴이 진저티프로젝트 출판팀
번역검수 김남원, 전혜영
감수 강진향, 서현선, 안지혜
교정교열 고가은, 김영재, 김윤수, 최예은
디자인 정선은
마케팅 홍승현
인쇄 북토리 | 이광우

발행인 김고운, 홍주은
발행처 (주)진저티프로젝트
주소 서울 마포구 양화로 12길 8-5 세르보빌딩 2층
홈페이지 www.gingertproject.co.kr
이메일 info@gingertproject.co.kr
인스타그램 @gingertproject

ISBN 979-11-976714-8-7 (04320)
ISBN 979-11-976714-4-9 (세트)

The Practice of Adaptive Leadership
: Tools and Tactics for Changing Your Organization and the World